Dans la même collection

Mourir

Du même auteur
aux Éditions Stock

Arthur Schnitzler

Mourir

Roman

TRADUIT DE L'ALLEMAND
PAR
ROBERT DUMONT

Bibliothèque cosmopolite

Stock

Titre original :

STERBEN
(Niedieck Linder AG, Zurich)

Le soir tombait, Marie se leva du banc. Elle y était assise depuis déjà une demi-heure. Au commencement elle avait lu un peu, puis avait fixé son regard sur l'entrée de l'allée par laquelle Félix avait coutume d'arriver. D'habitude, il ne se faisait pas attendre longtemps. L'air était un peu plus frais bien qu'il gardât la douceur d'une fin de journée du mois de mai.

Il n'y avait plus beaucoup de monde dans le jardin, et le cortège des promeneurs se dirigeait vers la porte que l'on devait bientôt fermer. Marie était proche de la sortie quand elle aperçut Félix. Quoi qu'il fût en retard, il marchait lentement, et ce ne fut qu'en découvrant le regard de Marie qu'il hâta un peu le pas. Comme il pressait en souriant la main qu'elle lui tendait nonchalamment, elle lui demanda avec un doux reproche dans la voix : « Étais-tu obligé de travailler jusqu'à maintenant ? » Il lui offrit son bras sans répondre. « Eh bien ? » fit-elle. « Oui, mon petit, dit-il alors, j'ai complètement oublié de regarder l'heure. » Elle l'observait de côté ; il lui paraissait plus pâle qu'à l'ordinaire. « Ne crois-tu pas, dit-elle tendrement, qu'il vaudrait mieux te consacrer un peu plus à ta Marie ? Abandonne pour quelque temps tes travaux. Nous allons nous promener davantage. Veux-tu ? A partir de maintenant, tu sortiras toujours avec moi.

— Mais...

— Parfaitement, Félix. Plus question de te laisser seul. »

Il lui jeta un coup d'œil rapide, comme effrayé. « Qu'as-tu donc ? demanda-t-elle.

— Rien. »

Ils étaient parvenus à la sortie. L'animation joyeuse de la rue au soir bourdonnait autour d'eux. Pour tous les êtres, il semblait flotter dans l'air une bouffée de bonheur portée par le printemps. « Sais-tu ce que nous pourrions faire ? dit-il. Aller au Prater.

— Oh non, il y faisait si froid la dernière fois.

— Mais vois donc, on étouffe presque dans la rue. Et nous pourrons revenir rapidement. Allons-y ! » Il parlait par saccades, semblait ailleurs.

« Dis-moi, quels propos tiens-tu, Félix ?

— Comment ?...

— A quoi penses-tu donc ? N'es-tu pas près de moi, près de ton amie ? » Il la fixa d'un regard absent.

« Félix ! » cria-t-elle, inquiète, en pressant plus fort son bras.

« Oui, oui, dit-il, se ressaisissant, on étouffe, c'est sûr. Je ne suis pas distrait, et si c'est le cas, tu ne dois pas m'en vouloir. » Ils se dirigèrent vers le Prater. Félix était encore plus silencieux que d'habitude. Les lumières brûlaient déjà dans les lampadaires.

« As-tu rencontré Alfred aujourd'hui ? interrogea-t-elle soudain.

— Pourquoi ?

— N'en avais-tu pas l'intention ?

— Comment cela ?

— Tu t'étais senti hier soir si fatigué.

— Certainement.

— Et tu n'es pas allé voir Alfred ?

— Non.

— Voyons, hier tu étais encore souffrant, et tu veux t'exposer à l'humidité du Prater. C'est vraiment imprudent.

— Ah, ça n'a pas d'importance.

— Ne parle pas ainsi, tu vas encore te faire du mal.

— Je t'en prie, dit-il d'une voix presque larmoyante, allons-y, allons-y. J'ai une telle envie d'une promenade au Prater. Nous irons là où nous nous sommes trouvés si bien précédemment. Tu sais, dans la véranda de la guinguette. L'air n'y est pas trop frais.

— Si on veut.

— Il ne l'est vraiment pas. Et aujourd'hui le temps est particulièrement chaud. Nous ne pouvons pas rentrer chez nous, il est trop tôt. Et je ne veux pas dîner en ville, être assis entre les quatre murs d'un restaurant, la fumée ne vaut rien, et je ne veux pas voir beaucoup de monde, je ne supporte pas le bruit. »

Au commencement, il avait parlé rapidement et plus fort que de coutume, mais aux derniers mots sa voix s'éteignit. Marie se pendit plus fortement à son bras. Elle était anxieuse, elle ne parla plus, car elle sentait des larmes dans sa propre voix. Félix lui avait communiqué son désir d'aller dans l'auberge paisible du Prater, de terminer cette soirée dans la verdure et dans le calme. Après un moment d'un commun silence, elle vit se dessiner sur les lèvres de Félix un pâle sourire, et, se tournant vers elle, il essaya de conférer à ce sourire une expression de bonheur. Mais elle qui le connaissait bien en ressentit sans peine l'aspect forcé.

Ils étaient au Prater. La première allée qui se détachait du chemin principal, et qui disparaissait presque dans l'obscurité, les conduisit au but. L'auberge rustique apparut. Le grand jardin était à peine éclairé, les tables n'étaient pas dressées, les chaises appuyées contre elles. A côté, au sommet de minces poteaux peints en vert, des lumières rouge sombre dansaient dans des globes. Il y avait là quelques clients avec l'aubergiste au milieu d'eux. Marie et Félix passèrent près du groupe. L'aubergiste se leva et les salua. Ils ouvrirent la porte de la véranda où sifflaient quelques lampes à gaz presque éteintes. Un jeune serveur qui sommeillait dans un coin se leva rapidement, s'empressa de remonter le gaz, les aida à quitter leurs manteaux. Ils s'assirent dans un angle de la salle où la pénombre était propice à l'intimité, et rapprochèrent leurs sièges tout près l'un de l'autre. Ils commandèrent sans longue recherche nourriture et boisson, et se retrouvèrent seuls. De l'entrée ne leur parvenait que la lueur rougeâtre des lampadaires, les angles de la salle restaient plongés dans l'ombre.

Ils demeurèrent encore longtemps silencieux

10

jusqu'au moment où Marie, torturée par l'anxiété, commença à parler à mots hésitants :

« Dis-moi donc, Félix, qu'as-tu ? Je t'en prie, dis-le-moi ! »

Le même sourire passa sur ses lèvres. « Rien, mon petit, ne me questionne pas. Tu connais mes sautes d'humeur, ou bien se peut-il que tu ne les connaisses pas encore ?

— Tes sautes d'humeur, bien sûr. Mais tu n'es pas de mauvaise humeur, tu es soucieux, je le vois bien, et il doit y avoir une raison. Je t'en prie, Félix, qu'y a-t-il ? Dis-le-moi, je t'en prie. »

Le visage de Félix manifesta son agacement, d'autant que le serveur arrivait, apportant la commande. Et comme elle reprenait : « Dis-le-moi, dis-le-moi », il désigna du regard le jeune homme et eut un mouvement de contrariété. Le serveur s'éloigna.

« Maintenant nous sommes seuls », dit Marie. Elle se rapprocha, prit ses deux mains dans les siennes. « Qu'as-tu ? Qu'as-tu ? Je dois le savoir. Est-ce que tu ne m'aimes plus ? » Il se taisait. Elle embrassa sa main. Il la lui retira lentement. « Eh bien, parle ! » Du regard, il parcourut la pièce comme pour chercher de l'aide. « Je t'en prie, laisse-moi, ne m'interroge pas, ne me tourmente pas. » Elle libéra sa main, le regarda bien en face. « Je veux le savoir. » Il se leva, fit une profonde inspiration, puis il prit sa tête à deux mains et dit : « Tu me rends fou, ne me questionne pas. » Il resta encore debout un long moment, les yeux fixes ; elle observait avec inquiétude ce regard perdu dans le vide. Ensuite il se laissa tomber sur sa chaise, respira plus calmement. Un voile de douceur tomba sur ses traits fatigués. Après quelques secondes, il sembla délivré de toute anxiété et dit doucement, aimablement à Marie : « Bois donc, mange donc. »

Obéissante, elle prit fourchette et couteau, et demanda d'un ton soucieux : « Et toi ? — Oui, oui », répondit-il, mais il resta immobile sur son siège sans toucher à rien. « Si c'est ainsi, je ne peux pas non plus », dit-elle. Alors il commença à manger et à boire, mais bientôt il reposa sans un mot ses couverts, appuya sa tête dans sa main sans regarder Marie. Elle l'observa un instant, les lèvres serrées, puis écarta le bras qui lui masquait le visage. Elle vit alors une lueur humide dans ses yeux et, au moment où elle s'exclamait : « Félix, Félix ! », il commença à pleurer à chaudes larmes, à sangloter. Elle attira sa tête sur sa poitrine, caressa ses cheveux, l'embrassa sur le front, voulut boire ses larmes par ses baisers. « Félix, Félix ! » Il continuait à pleurer de plus en plus doucement. « Qu'as-tu, mon chéri, mon trésor, mon seul trésor, dis-le-moi donc ! » Il parla alors, la tête toujours blottie contre sa poitrine, si bien que ses paroles ne parvenaient qu'étouffées, à peine audibles. « Marie, Marie, je n'ai pas voulu te le dire. Plus qu'un an et c'est fini. » Ses pleurs reprirent, bruyants, convulsifs. Quant à elle, pâle comme une morte, les yeux hagards, elle ne comprenait pas, ne voulait pas comprendre. Une étreinte glaciale, épouvantable, nouait sa gorge, jusqu'à ce qu'enfin un cri jaillît : « Félix, Félix ! » Elle se précipita à ses pieds, contempla son visage ravagé, baigné de pleurs, retombé maintenant sur la poitrine. Il la vit, agenouillée devant lui, et murmura : « Relève-toi, relève-toi. »

Elle se redressa, obéissant machinalement à ses paroles, et s'assit en face de lui. Elle ne pouvait parler, ne pouvait questionner. Lui, après quelques secondes d'un profond silence, fit entendre soudain, les yeux levés vers le ciel, une plainte aiguë comme si quelque chose d'inconcevable l'accablait : « Épouvantable, c'est épouvantable ! » Elle retrouva sa voix. « Viens, viens ! » Elle ne put en dire davantage. « Oui, partons », dit-il, avec le geste de rejeter un fardeau. Il appela le serveur, paya, et tous deux quittèrent la salle. Dehors, le silence de la nuit printanière les accueillit. Dans l'allée obscure, Marie s'arrêta, saisit la main de son amant. « Vas-tu m'expliquer enfin ? »

Il était redevenu parfaitement calme, et il s'exprima simplement, sobrement, comme s'il ne s'agissait de rien d'extraordinaire. Il dégagea sa main et caressa les joues de Marie. Il faisait si sombre qu'ils pouvaient à peine se voir.

« Il ne faut pas t'effrayer, Marion. C'est long une année, si long ! C'est que je n'ai plus qu'une année à vivre. » Elle poussa un cri : « Mais tu es fou, tu es fou !

— Ce que je dis est lamentable, et même stupide. Mais, vois-tu, être seul à le savoir, et traîner, solitaire, avec cette obsession, je n'aurais probablement pas pu le supporter longtemps. C'est peut-être un bien que tu t'habitues à cette idée. Mais viens donc, que faisons-nous là ? Moi-même, Marie, je me suis accoutumé à cette pensée. Il y avait longtemps que je n'avais plus confiance en Alfred.

— Tu n'as pas été voir Alfred ? Mais les autres n'y entendent rien.

— Vois-tu, mon petit, ces dernières semaines l'incertitude me torturait. C'est mieux maintenant. Je sais à quoi m'en tenir. J'ai vu le professeur Bernard, lui au moins m'a dit la vérité.

— Mais non, il ne t'a pas dit la vérité, il a certainement voulu simplement te faire peur pour que tu sois plus prudent.

— Ma chère petite, je lui ai parlé très gravement. Il me fallait une certitude, ne serait-ce que pour toi.

— Félix, Félix ! cria-t-elle en le prenant dans ses bras. Que dis-tu là ? Sans toi je ne vivrais pas un jour, pas une heure.

— Viens, dit-il, calme-toi. » Ils avaient atteint la sortie du Prater. Ils se retrouvaient dans l'agitation, le bruit, la lumière. Vacarme des voitures dans les rues, sifflet et sonnette du tramway, le lourd roulement d'un train sur le pont au-dessus d'eux. Marie sursauta. Toute cette vie avait pris soudain un caractère railleur, hostile, elle en souffrait. Elle traîna Félix hors de la large artère, et ils regagnèrent leur domicile par de petites rues tranquilles.

Un moment, elle pensa qu'il vaudrait mieux pour lui prendre un fiacre, mais elle hésita à le lui dire. Il suffisait de marcher lentement.

« Tu ne mourras pas, non, non », dit-elle à voix basse, en se blottissant contre l'épaule de Félix. « Je ne te survivrais pas.

— Ma chère enfant, tu te raviseras. J'ai tout bien considéré. Absolument. Sais-tu qu'une fois la limite tracée, j'ai vu en toute clarté la situation.

— Il n'y a pas de limite.

— Mais si, ma chérie. On ne peut y croire. Moi-même je n'y crois peut-être pas à cet instant. C'est une chose inconcevable, n'est-ce pas ? Imagine-toi que moi qui marche à ton côté, qui prononce à voix haute des paroles que tu entends, dans un an je serai couché sous la terre, froid, peut-être déjà en pourriture.

— Tais-toi, tais-toi !

— Et toi, tu ne seras pas changée. Tu seras exactement comme maintenant. Peut-être encore un peu pâle d'avoir pleuré, mais un soir viendra, et beaucoup d'autres, et l'été, et l'automne, et l'hiver, et de nouveau le printemps, et moi, je serai depuis un an déjà mort, froid. Parfaitement. Qu'as-tu donc ? »

Elle pleurait amèrement. Les larmes coulaient sur ses joues, dans son cou.

Un sourire désespéré passa alors sur les traits de Félix, et il murmura entre ses dents d'une voix rauque, âpre : « Pardonne-moi. » Elle continuait à sangloter tout en marchant, et il se tut. Leur chemin passait près du parc municipal, par des rues larges et calmes sur lesquelles les arbustes du parc répandaient un léger et triste parfum de lilas. Ils poursuivaient lentement leur marche. De l'autre côté ils longeaient de hauts immeubles aux murs uniformément gris et jaunes. La coupole majestueuse de l'église Saint-Charles avançait vers eux. Ils prirent une rue latérale, et eurent bientôt atteint l'immeuble où ils habitaient. Tandis qu'ils gravissaient lentement l'escalier faiblement éclairé, ils entendaient derrière les fenêtres palières et les portes les servantes papoter et rire. Au bout de quelques minutes, ils furent chez eux, à l'abri derrière leur porte. La fenêtre était ouverte. Quelques roses d'un rouge foncé posées dans un vase sur la table répandaient leur parfum dans la pièce. De la rue montait une légère rumeur. Ils allèrent tous deux à la fenêtre. Dans la maison d'en face tout était silencieux et sombre. Il alla s'asseoir sur le divan, elle ferma les volets et abaissa les rideaux. Puis elle alluma une bougie qu'elle plaça sur la table. Indifférent à tout cela, il restait là, plongé dans ses pensées. Elle s'approcha de lui. « Félix ! » Il releva les yeux et sourit. « Quoi donc, mon petit ? » En l'entendant prononcer ces mots de sa voix douce et faible, elle fut saisie d'une angoisse infinie. Non, elle ne voulait pas le perdre. Jamais, jamais ! D'ailleurs ce n'était pas vrai. Ce n'était absolument pas possible. Elle tenta de parler, voulut lui dire tout cela. Elle se jeta à ses pieds, mais ne trouva pas la force de s'exprimer. Elle posa sa tête sur ses genoux et pleura. Les mains de Félix reposaient sur ses cheveux. « Il ne faut pas pleurer, murmura-t-il tendrement, il ne faut plus, Marion. »

Elle releva la tête, saisie d'un fol espoir. « Ce n'est pas vrai, dis ? Ce n'est pas vrai ? » Il l'embrassa sur les lèvres longuement, passionnément, puis d'un ton presque brutal : « C'est vrai. » Il se leva, alla à la fenêtre, y resta plongé dans l'ombre, seule la lueur de la bougie jouait sur ses pieds. Après un certain temps, il reprit la parole : « Il faut que tu te fasses à cette idée. Imagine simplement que nous nous séparons. Tu n'as pas besoin de savoir que je ne suis plus de ce monde. »

Elle ne semblait pas l'écouter. Elle avait enfoui sa tête dans les coussins du divan. Il poursuivit : « Quand on examine la chose avec philosophie, ce n'est pas si terrible. Tant de jours nous restent pour être heureux, n'est-ce pas, Marion ? »

Elle releva soudain les yeux, de grands yeux qui ne pleuraient plus. Puis elle se précipita vers lui, se cramponna à lui, le pressa des deux mains contre sa poitrine. Elle murmura : « Je veux mourir avec toi. » Il sourit. « Ce sont des enfantillages. Je ne suis pas si mesquin que tu le penses. Je n'ai au reste pas du tout le droit de t'entraîner avec moi.

— Je ne peux exister sans toi.

— Combien de temps as-tu vécu sans moi ? J'étais déjà perdu lorsque j'ai fait ta connaissance, l'an passé. Je ne le savais pas, et cependant j'en avais déjà l'intuition.

— Tu ne le sais pas davantage aujourd'hui.

— Si, je le sais, et c'est pourquoi je te rends aujourd'hui ta liberté. »

Elle ne répondit pas, leva les yeux vers lui comme si elle ne pouvait comprendre.

« Tu es si belle, oh ! et si saine. Une vie magnifique te revient de droit. Laisse-moi seul. »

Elle se récria : « J'ai vécu avec toi, je mourrai avec toi. »

Il l'embrassa sur le front. « Tu ne le feras pas, je te l'interdis, il te faut chasser cette idée de ta tête.

— Je te jure...

— Ne jure pas, tu me supplierais peut-être un jour de te délier de ton serment.

— Tu crois si peu en moi ?

— Oh ! Tu m'aimes, je le sais. Tu ne m'abandonneras pas jusqu'à l'heure où...

— Jamais, jamais je ne te quitterai. » Il secoua la

17

tête. Elle se blottit contre lui, saisit ses mains et les baisa.

« Tu es si bonne, dit-il, et c'est ce qui me rend si triste.

— Ne sois pas triste. Quoi qu'il advienne, un même destin nous unira.

— Non, dit-il d'un ton sérieux, décidé. Laisse cela. Je ne suis pas comme les autres. Je ne veux pas l'être. Je comprends tout. Il serait lamentable de ma part de t'écouter plus longtemps, de me laisser griser par des paroles que t'inspire le premier moment de la douleur. Il me faudra partir, il te faudra rester. »

Elle s'était remise à pleurer. Pour la calmer, il la caressa, l'embrassa. Ils restèrent debout devant la fenêtre en silence. Les minutes passaient, la bougie était en partie consumée. Au bout de quelque temps, il s'écarta et alla s'asseoir sur le divan. Une fatigue extrême l'accablait. Marie s'approcha, s'assit près de lui. Elle prit doucement la tête de Félix et l'appuya sur son épaule. Il la regarda avec tendresse, ferma les yeux et s'endormit.

L'aube pointait, pâle et froide. Félix était réveillé. Sa tête reposait encore sur l'épaule de Marie. Celle-ci dormait d'un sommeil profond. Il se dégagea doucement, alla à la fenêtre et regarda dans la rue qui s'étendait déserte dans la grisaille du matin. Il frissonna. Quelques minutes plus tard, il s'étendit tout habillé sur le lit et fixa le plafond.

A son réveil, il faisait grand jour. Marie était assise au bord du lit. Elle l'avait tiré du sommeil par ses baisers. Tous deux sourirent. Cela n'avait-il été finalement qu'un cauchemar ? Lui-même se sentait si plein de santé, si alerte. Dehors, le soleil resplendissait. De la rue montaient des rumeurs, partout bruissait la vie. Dans la maison d'en face, de nombreuses fenêtres étaient ouvertes. Là, sur la table, le petit déjeuner était prêt comme chaque matin. La pièce était si lumineuse, le jour pénétrait dans tous les recoins. De fines particules de poussière dansaient dans les rayons du soleil, et partout, partout, l'espoir, l'espoir, l'espoir !

Le docteur fumait son cigare de l'après-midi lorsqu'on lui annonça une dame. C'était avant l'heure de ses consultations, et Alfred en fut irrité. « Marie ! » s'exclama-t-il, étonné, en la voyant entrer.

« Ne m'en veuillez pas de vous déranger si tôt. Continuez tranquillement de fumer.

— Si vous le permettez. Mais qu'y a-t-il donc ? Qu'est-ce qui vous arrive ? »

Elle se tenait devant lui, une main appuyée sur le bureau, tenant de l'autre son ombrelle. « Est-ce vrai, dit-elle brusquement, que Félix est si malade ? Ah, vous blêmissez. Pourquoi ne me l'avez-vous pas dit ? Pourquoi ?

— Qu'allez-vous penser là ? » Il fit quelques pas. « Vous êtes folle. Asseyez-vous, je vous en prie.

— Répondez-moi.

— Il est certainement souffrant, mais vous le saviez déjà.

— Il est perdu ! s'écria-t-elle.

— Allons, allons !

— Je le sais et *lui* aussi. Il a vu hier le professeur Bernard qui le lui a dit.

— Il arrive à plus d'un professeur de se tromper.

— Vous l'avez souvent examiné, dites-moi la vérité.

— Dans ce domaine, il n'y a pas de vérité absolue.

— Oui, parce qu'il est votre ami, vous ne voulez pas le dire. Mais je le lis sur votre visage. C'est vrai, c'est donc vrai ! Oh, mon Dieu !

— Ma chère enfant, calmez-vous. »

Elle lui jeta un regard rapide. « C'est vrai ?

— Il est malade, c'est certain. Ne le saviez-vous pas déjà ?

— Ah...

— Mais pourquoi lui a-t-on dit cela ? Et d'ailleurs...

— Alors, alors ? Je vous en prie, ne me donnez pas de faux espoirs s'il n'y en a pas.

— On ne peut jamais prévoir avec certitude. Cela peut durer si longtemps.

— Oui, je sais, un an. »

Alfred se mordit les lèvres. « Oui, dites-moi, quelle idée d'avoir été consulter un autre médecin ?

— Tout simplement parce qu'il savait que vous ne lui diriez jamais la vérité.

— C'est trop bête. » Le docteur s'emporta. « C'est trop bête. Je ne peux pas comprendre ça. Comme s'il était de première nécessité qu'un homme sache... »

A cet instant la porte s'ouvrit, et Félix entra.

« Je m'en doutais, dit-il en apercevant Marie.

— Tu m'en fais de belles, s'exclama le docteur, vraiment de belles sottises.

— Pas de phrases, mon cher Alfred, répliqua Félix. Je te remercie de tout cœur pour tes bonnes intentions, tu as agi en ami, tu t'es remarquablement comporté. »

Marie intervint alors : « Il dit que certainement le professeur... »

Félix l'interrompit : « Pas de ça. Aussi longtemps qu'il était possible, vous deviez me bercer d'illusions. A partir de maintenant, ce serait jouer une comédie de mauvais goût.

— Tu te conduis comme un enfant. Des tas de gens circulent dans Vienne auxquels on a prédit leur fin depuis vingt ans déjà.

— La plupart d'entre eux sont pourtant à cette heure enterrés. » Alfred arpentait la pièce. « Avant toute chose, dis-toi bien qu'il n'y a rien eu de changé entre hier et aujourd'hui. Tu dois te ménager, un point c'est tout. Tu suivras mieux mes recommandations, c'est la seule bonne chose de cette affaire. Il y a huit jours, un homme dans la cinquantaine m'a consulté, et...

— Je connais l'histoire, l'interrompit Félix. Le fameux monsieur de cinquante ans, condamné par les médecins dès sa vingtième année, qui maintenant respire la santé et a huit enfants vigoureux.

— Ce sont des choses qui arrivent, on ne peut en douter, rétorqua Alfred.

— Vois-tu, dit Félix, je ne fais pas partie des gens qui bénéficient de miracles.

— Des miracles ? s'exclama Alfred. Ce sont des choses tout à fait naturelles.

— Mais il n'y a qu'à le regarder, dit Marie. Je trouve qu'il a bien meilleure mine que cet hiver.

— Il n'a besoin que de se ménager », dit Alfred en s'arrêtant devant son ami. « Vous allez maintenant partir pour la montagne, et vous y paresserez tout à loisir.

— Quand devons-nous partir ? demanda Marie rapidement.

— Tout cela est ridicule, dit Félix.

— Et à l'automne vous irez dans le Midi.

— Et au printemps prochain ? questionna Félix ironiquement.

— Tu seras, espérons-le, en bonne santé, s'écria Marie.

— C'est ça, en bonne santé, ricana Félix, en bonne santé, être plus malade est hors de question.

— Je l'ai toujours dit, reprit Alfred, ces grands spécialistes ne sont, ni les uns ni les autres, de grands psychologues.

— Parce qu'ils ne comprennent pas que nous ne supportons pas la vérité, répliqua Félix.

— La vérité n'existe pas, te dis-je. Le professeur a pensé qu'il devait te ficher la frousse pour que tu ne fasses pas d'imprudence. Voilà à peu près ce qu'il a dû penser. Si tu guéris en dépit de son pronostic, ce ne sera pas vexant pour lui, il t'aura simplement mis en garde. »

Ici Félix s'emporta : « Assez d'enfantillages ! J'ai parlé très sérieusement avec ce professeur, je lui ai fait clairement comprendre qu'il me fallait une certitude. Des problèmes familiaux. Cela en impose toujours. Je dois t'avouer sincèrement que vivre dans l'incertitude était par trop désolant.

— Comme si tu avais maintenant la certitude, protesta Alfred.

— Parfaitement, je l'ai. Tu te donnes en vain du mal. Il s'agit simplement maintenant de passer cette dernière année aussi raisonnablement que possible. Tu verras, mon cher Alfred, que je suis homme à quitter ce monde le sourire aux lèvres. Voyons, ne pleure pas, Marion, tu ne te doutes pas comme, sans moi, le monde te paraîtra encore beau. Eh bien, Alfred, ne crois-tu pas ?

— Tais-toi, tu tortures la petite tout à fait inutilement. »

Marie, dans un cri du cœur : « Donnez-moi du poison !

— Mais vous êtes fous tous les deux ! s'exclama le docteur.

— Du poison ! Je ne veux pas lui survivre une seconde, il faut qu'il me croie. Pourquoi ne veut-il pas me croire, pourquoi donc, pourquoi donc ?

— Maintenant, Marion, écoute-moi bien. Si tu parles encore une fois de cet acte stupide, une seule fois, je disparaîtrai de ta vie sans laisser de traces. Tu ne me verras jamais plus. Je n'ai aucun droit à enchaîner ton destin au mien, je refuse d'accepter cette responsabilité.

— Sais-tu, mon cher Félix, commença le docteur, tu vas me faire le plaisir de partir dès aujourd'hui plutôt que demain. Ça ne peut pas continuer ainsi. Je vous conduirai ce soir au train ; le bon air et le repos vous rendront tous deux raisonnables, espérons-le.

— Je suis tout à fait d'accord, dit Félix. Le lieu m'est parfaitement indifférent où...

— C'est bien, l'interrompit Alfred. Il n'y a pas, pour le moment, la moindre raison de désespérer, et tu peux nous dispenser de tes remarques lugubres. »

Marie sécha ses larmes et jeta au docteur un regard reconnaissant.

« Voilà le grand psychologue, dit Félix en souriant. Quand un médecin vous parle brutalement, on se sent sur-le-champ en parfaite santé.

— Je suis avant tout ton ami, tu sais donc...

— Partons, demain, pour la montagne !

— Parfait, c'est dit.

— En tout cas, je te remercie beaucoup, dit Félix en tendant la main à son ami. Et maintenant, partons, j'entends déjà à côté une toux discrète. Viens, Marion.

— Je vous remercie, docteur, dit Marie en prenant congé.

— Il n'y a pas de quoi remercier. Soyez seulement raisonnables, et veillez bien sur lui. Au revoir. »

Dans l'escalier, Félix dit soudain : « Un brave homme, le docteur.

— Oh oui.

— Et jeune, et bien portant. Il a peut-être encore quarante années devant lui, ou cent. »

Ils étaient dans la rue. Et tous ces gens autour d'eux qui marchaient, parlaient, vivaient, et qui ne pensaient pas à la mort.

Ils s'installèrent dans une maisonnette tout au bord du lac. Elle se trouvait à l'écart du village, à l'extrémité d'une rangée d'habitations espacées le long de l'eau. Derrière elle s'étendaient des prairies en pente, et, plus haut, des champs luxuriants sous le soleil d'été. A une grande distance on distinguait, à de rares moments, les contours flous d'une chaîne de montagnes lointaine. Quand, sortant de leur demeure, ils pénétraient sur la terrasse qui, plantée sur quatre pilotis bruns et humides, surplombait l'eau claire, ils voyaient en face d'eux, sur l'autre rive, la longue ligne d'arêtes rocheuses baignée de l'éclat glacé d'un ciel silencieux.

Dans les premières journées passées en ce lieu, ils avaient goûté une paix merveilleuse qu'ils avaient peine à réaliser. L'impression que le sort commun n'avait barre sur eux qu'à leur domicile habituel, tandis qu'ici, dans de nouvelles conditions de vie, son décret, pris dans un autre monde, était sans valeur. Depuis qu'ils se connaissaient, ils n'avaient jamais joui d'une solitude aussi réconfortante. Il leur semblait parfois, quand ils se regardaient, qu'une histoire insignifiante leur était arrivée, quelque dispute ou quelque malentendu dont on ne devait plus parler. Félix se sentait si dispos par ces beaux jours d'été qu'il voulut, peu après leur arrivée, reprendre ses travaux. Marie ne le lui permit pas. « Tu n'es pas encore complètement rétabli », dit-elle avec un sourire. Et sur la petite table où Félix avait empilé ses livres et ses papiers, les rayons du soleil dansaient, tandis que, venant du lac, un souffle d'air ensorceleur pénétrait par la fenêtre, une brise qui ignorait toute la misère du monde.

Un soir, suivant leur habitude, ils se firent conduire sur le lac par un vieux paysan. Ils étaient installés dans une barque large et solide, avec un siège rembourré sur lequel s'asseyait habituellement Marie, tandis que Félix s'allongeait à ses pieds, enveloppé chaudement dans un plaid gris qui lui servait à la fois de matelas et de couverture. Sa tête reposait sur les genoux de Marie. De légères bandes de brume s'étendaient sur la vaste surface tranquille du lac, et l'obscurité donnait l'impression de s'élever lentement de l'eau pour gagner progressivement les rives. Ce jour-là, Félix s'enhardit à fumer un cigare tout en observant, par-delà la nappe ondoyante de l'eau, les rochers aux sommets baignés par la lueur jaune d'un soleil déclinant.

« Dis, Marion, commença-t-il, as-tu le courage de regarder là-haut ?

— Où cela ? »

Il désigna du doigt le ciel. « Là, tout droit dans la profondeur bleue. Moi, je ne peux pas. Cela m'impressionne. »

Elle leva les yeux, demeura quelques secondes à fixer le ciel.

« Pour moi, c'est plutôt agréable.

— Vraiment ? Quand la lumière est comme aujourd'hui si intense, je n'y arrive pas. Cette distance, cette distance effroyable ! Quand il y a des nuages, je suis plus à mon aise, les nuages font partie de notre monde, ils sont de la famille. »

« Il va probablement pleuvoir demain, dit soudain leur batelier. Les montagnes apparaissent aujourd'hui trop proches. » Il laissa retomber les rames, si bien que le bateau glissa sur les flots en silence de plus en plus lentement.

Félix toussa pour s'éclaircir la voix. « C'est bizarre, je ne supporte encore pas bien le cigare.

— Eh bien, jette-le donc ! »

Félix le tourna un moment entre ses doigts, puis le lança dans l'eau. Alors, sans se retourner vers Marie, il dit : « Hein ! je ne suis pas encore complètement rétabli ?

— Tais-toi ! » dit-elle, éludant la question, et elle lui passa légèrement la main dans les cheveux.

« Qu'allons-nous faire, demanda Félix, s'il commence à pleuvoir ? Tu seras bien forcée de me laisser travailler ?

— Tu ne dois pas. »

Elle se pencha vers lui, le regarda en face. Elle remarqua que ses joues étaient empourprées. « Je me charge de chasser tes idées sombres. Si nous rentrions maintenant. La fraîcheur tombe.

— La fraîcheur ? Je ne la sens pas.

— Évidemment, avec un plaid aussi épais.

— Oh ! quel égoïste je fais ! J'ai complètement oublié ta robe d'été. »

Il se tourna vers le batelier. « Rentrons ! » Quelques coups de rame les rapprochèrent de leur maison. C'est alors que Marie s'aperçut que Félix serrait de la main droite son poignet gauche.

« Qu'est-ce que tu as ?

— Marion, je ne suis toujours pas vraiment bien portant.

— Mais...

— J'ai de la fièvre. Hum ! C'est trop bête !

— Tu te trompes certainement, dit Marie, inquiète. Je vais aller tout de suite trouver un docteur.

— Oui, bien sûr, je pourrais encore en avoir besoin. »

Le canot accosta, ils débarquèrent. A l'intérieur de

27

leur maison il faisait presque nuit, mais la chaleur du jour y demeurait encore. Tandis que Marie préparait le dîner, Félix se reposa dans un fauteuil.

« Dis donc, fit-il brusquement, les premiers huit jours sont écoulés. »

Elle quitta la table où elle avait mis le couvert, vint vite vers lui, le prit dans ses bras. « Qu'as-tu encore ? »

Il se dégagea. « N'en parlons plus ! » Il se leva, passa à table. Elle le suivit. Les doigts de Félix tambourinaient sur la nappe.

« Je me sens si désarmé. Ça vous prend tout d'un coup.

— Voyons, Félix, Félix. » Elle approcha sa chaise de la sienne.

De ses yeux grands ouverts, Félix parcourait la pièce. Puis il secoua la tête avec irritation comme s'il ne pouvait comprendre quelque chose. « Désarmé ! Désarmé ! Nul ne peut rien pour moi. La chose en elle-même n'est pas si terrible, mais qu'on soit aussi désarmé !

— Félix, je t'en prie, tu t'excites. Ce n'est sûrement rien. Veux-tu, uniquement pour te rassurer, que j'aille chercher le docteur ?

— Je t'en prie, laissons cela. Excuse-moi de t'avoir parlé une nouvelle fois de ma maladie.

— Mais...

— Ça ne m'arrivera plus. Verse-moi donc à boire. Oui, oui, verse... Merci ! Eh bien, dis quelque chose.

— Oui, mais quoi ?

— N'importe quoi. Fais-moi la lecture, si rien ne te vient à l'esprit. Excuse-moi, après le repas évidemment. Mange maintenant. Je mange aussi. » Il se servit. « J'ai même de l'appétit, je trouve ça très bon.

— Tu vois bien », dit Marie en se forçant à sourire.

Et tous deux commencèrent leur repas.

Les jours suivants, une pluie tiède tomba. Ils demeuraient alors jusqu'au soir tantôt dans leur chambre, tantôt sur la terrasse. Tous deux lisaient ou regardaient par la fenêtre ; ou bien il l'observait quand elle se livrait à quelque travail de couture. Parfois ils jouaient aux cartes, et il lui enseigna les bases du jeu d'échecs. A d'autres moments, il s'allongeait sur le divan ; elle s'asseyait près de lui et lui faisait la lecture, des soirées tranquilles s'écoulaient ainsi, et Félix se sentait tout à fait bien. Il se réjouissait de voir que le mauvais temps n'avait pas de prise sur lui. La fièvre n'était pas revenue.

Un après-midi, comme, après une pluie tenace, le ciel se dégageait pour la première fois, ils s'assirent de nouveau sur le balcon, et Félix déclara soudain, sans aucun rapport avec des propos précédents : « En fait, sur cette terre il ne circule que des condamnés à mort. »

Marie leva les yeux de son travail.

« Parfaitement, continua-t-il. Imagine par exemple que quelqu'un vienne te dire : " Très chère Mademoiselle, vous mourrez le 1er mai 1970. » Tu passerais le reste de ta vie à attendre dans une angoisse indicible le 1er mai 1970, bien que tu ne croies pas sérieusement aujourd'hui vivre jusqu'à cent ans. »

Elle ne répondit pas.

Il continuait à parler, les yeux fixés sur le lac, où commençaient à étinceler les premiers rayons du soleil qui perçaient les nuages.

« D'aucuns paradent, fiers de leur santé, et un hasard stupide les fauchera dans quelques semaines. Et ceux-là ne pensent pas à la mort, n'est-ce pas ?

— Vois-tu, dit Marie, laisse donc ces pensées ridicules. Tu dois bien te rendre compte aujourd'hui que tu recouvres la santé. »

Il sourit.

« Parfaitement, tu fais justement partie de ceux qui guérissent. »

Il éclata de rire. « Mon petit, penses-tu vraiment que je me leurre sur mon destin ? Penses-tu que ce bien-être factice dont la nature me fait cadeau aujourd'hui puisse me duper ? Il se trouve que je sais où j'en suis. La pensée de la mort prochaine fait de moi, comme ce fut le cas aussi pour de grands hommes, un philosophe.

— Cesse donc enfin, veux-tu ?

— Oh, mademoiselle, je dois mourir, et vous ne devriez même pas supporter le petit désagrément de m'en entendre parler ? »

Elle rejeta son travail et vint à lui. « Je le sens bien, dit-elle sur un ton de conviction totale, que tu me resteras. Tu ne peux pas juger toi-même les progrès de ta santé. Maintenant tu ne dois plus y penser, et aucun nuage n'ombragera notre vie. » Il l'observa longuement. « Tu parais vraiment incapable de pouvoir le comprendre. Il faut te le mettre sous les yeux. Regarde ça. » Il saisit un journal. « Que lis-tu là ?

— Le 12 juin 1890.

30

— Oui, 1890. Et maintenant, imagine le chiffre un à la place du zéro. Et tout cela sera passé depuis longtemps. Comprends-tu enfin ? »

Elle lui arracha le journal, le jeta à terre dans un mouvement de colère.

« Il n'y est pour rien », dit-il calmement. Il se leva, et soudain, semblant subitement décidé à chasser loin de lui toutes ces pensées, il s'écria : « Regarde comme c'est beau ! Comme le soleil repose sur l'eau, et là » — se penchant sur le coin de la terrasse du côté opposé d'où la vue s'étendait sur la campagne — « comme les champs ondulent. J'aimerais me promener un peu.

— Ne fera-t-il pas trop humide ?

— Viens, il faut que je sorte. »

Elle n'osa pas le contredire.

Tous deux prirent leur chapeau, jetèrent un manteau sur leurs épaules, et s'engagèrent dans le chemin qui conduisait aux champs. Le ciel était presque complètement dégagé. Au loin sur la chaîne de montagnes glissaient des nappes de brume opalines aux contours divers. On avait l'impression que le vert des prairies se perdait dans un blanc lumineux qui paraissait borner l'horizon. Un sentier les mena au beau milieu des blés, ils durent marcher l'un derrière l'autre, et les tiges bruissaient contre les bords de leurs manteaux. Bientôt ils s'écartèrent du chemin et pénétrèrent dans une forêt d'arbres feuillus pas trop épaisse, parcourue de sentiers bien entretenus, pourvus, à de courts intervalles, de bancs pour les promeneurs. Là ils marchèrent en se donnant le bras.

« N'est-ce pas beau ! s'exclama Félix. Et ce parfum ! »

Marie l'interrompit : « Ne crois-tu pas que maintenant, juste après la pluie... » Elle ne termina pas sa phrase.

Il eut de la tête un mouvement d'impatience. « Qu'importe, quelle importance ? Il est désagréable de toujours s'entendre rappeler cela. »

Comme ils poursuivaient leur marche, les arbres se firent plus clairsemés. Le lac brilla à travers le feuillage. Ils n'en étaient plus qu'à une centaine de pas. Une langue de terre passablement étroite, sur laquelle la forêt se terminait par quelques arbustes épars, surgissait de l'eau. Il s'y trouvait plusieurs tables avec des bancs en planches de sapin, une clôture de bois se dressait tout au bord du lac. Un léger vent du soir s'était levé qui poussait les vagues contre la rive. Et soudain son souffle gagna les buissons, les arbres, si bien que du feuillage humide des gouttes tombèrent. Sur l'eau s'étendait la lueur mate du jour déclinant.

« Je n'avais jamais soupçonné une pareille beauté, dit Félix.

— Oui, c'est charmant.

— Tu n'en sais absolument rien, s'écria Félix. Tu ne peux pas le savoir. Il ne te faut pas dire adieu à tout cela. » Il avança lentement de quelques pas, s'appuya des deux bras sur la légère clôture dont l'eau baignait les montants étroits. Il contempla longuement la surface miroitante. Lorsqu'il se retourna, Marie se tenait derrière lui, le visage attristé par des larmes contenues.

« Vois-tu, dit Félix sur le ton de la plaisanterie, je te lègue tout cela. Oui, oui, car cela m'appartient. Voilà le secret d'une compréhension intime de la vie à laquelle je suis parvenu qui vous procure le sentiment immense de posséder des biens infinis. Je pourrais user de toutes ces choses selon mon bon plaisir. Là-bas, sur ce rocher aride, je pourrais faire jaillir des fleurs, je pourrais chasser du ciel ces nuages blancs. Je ne le fais pas, car, tel qu'il est, tout ce monde est beau. Ma chère enfant, ce n'est que lorsque tu seras seule que tu me comprendras. Oui, tu ressentiras alors sans aucun doute que tout cela est entré en ta possession. »

Il la prit par la main, l'attira près de lui, puis il tendit son autre bras comme pour lui montrer toutes ces splendeurs.

« Tout cela, tout cela », répéta-t-il. Comme elle continuait à se taire et, retenant ses larmes, le regardait intensément, il s'interrompit abruptement et dit : « Maintenant, on rentre. »

Le crépuscule tombait, ils suivirent le sentier du bord de l'eau et atteignirent bientôt leur maison. « Ce fut cependant une belle promenade », déclara Félix.

Elle approuva de la tête en silence.

« Il faudra la refaire souvent, dis, Marion.

— Oui.

— Et, ajouta-t-il sur un ton de pitié dédaigneuse, je ne veux plus jamais te torturer. »

Un des après-midi suivants il décida de reprendre ses travaux. Penché sur le papier, le crayon à la main, il jeta à Marie un certain regard malicieux, curieux de voir si elle allait l'en empêcher. Mais elle ne dit mot. Bientôt il abandonna papier et crayon, et prit un livre au hasard. Cela le distrayait davantage. Il n'était pas encore capable de travailler. Il lui fallait d'abord lutter pour parvenir à un mépris total de la vie, et alors, envisageant calmement le silence de l'éternité, il rédigerait en sage ses dernières volontés. Voilà ce qu'il voulait. Mais pas de ces dernières volontés comme les écrivent les individus vulgaires, textes qui révèlent toujours la crainte secrète de la mort. *Les siennes* devaient être un poème, adieu tranquille et souriant au monde surmonté. Il ne parla pas à Marie de cette pensée. Elle ne l'aurait pas compris. Non sans une certaine fierté, il restait assis en face d'elle pendant de longs après-midi quand elle s'assoupissait sur son livre, ce qui lui arrivait fréquemment, et que ses boucles blondes tombaient en désordre sur son front. Le sentiment de sa supériorité s'affirmait en considérant tout ce qu'il pouvait lui cacher. Sa solitude croissait, et sa grandeur.

Un de ces après-midi, quand les paupières de Marie tombèrent une fois de plus, il se glissa sans bruit au-dehors. Le calme d'une lourde journée d'été s'étendait partout autour de lui. Il avait maintenant la certitude que le jour était arrivé. Il respira profondément, il se sentait si léger, si libre. Il marcha sous l'ombre épaisse des arbres. La lumière du jour atténuée l'enveloppait voluptueusement. Il acceptait tout comme un don : l'ombre, le silence, la tiédeur de l'air. Il en jouissait. La pensée qu'il dût quitter toute cette douceur de la vie ne lui causait aucune douleur. « Tout quitter, tout quitter », répéta-t-il pour lui-même à mi-voix. Il fit une profonde inspiration, et, comme l'air léger pénétrait délicieusement dans sa poitrine, il lui parut soudain incompréhensible qu'il pût être malade. Pourtant il était malade, il était perdu. Et ce fut tout d'un coup comme une illumina-

34

tion. Il n'y croyait pas. C'était cela la raison d'où lui venait cette légèreté, ce bien-être, c'était pour cela qu'il lui avait semblé qu'aujourd'hui l'heure était arrivée. Il n'avait pas surmonté la joie de vivre, mais la peur de la mort l'avait quitté parce qu'il ne croyait plus à la mort. Il savait qu'il était de ceux qui guérissent. Il avait l'impression que dans un recoin caché de son âme quelque faculté endormie se réveillait. Il ressentait le besoin d'ouvrir tout grands les yeux, d'avancer à pas redoublés, de respirer plus largement. La journée devenait plus sereine, la vie plus intense. C'était donc cela, oui cela ! Et pourquoi ? Pourquoi se retrouver soudain ivre d'espoir ? Ah, l'espoir ? Bien plus, c'était une certitude. Dire que ce matin encore la souffrance le tenaillait, lui nouait la gorge, alors que maintenant, maintenant il était guéri, guéri. Il lança à voix haute : « Guéri ! » Il était arrivé au débouché du bois ; devant lui s'étendait le miroir lisse bleu sombre du lac. Il se laissa tomber sur un banc et resta assis, les yeux fixés sur l'eau, plongé dans un profond bien-être. Il méditait sur l'étrangeté du phénomène. La joie de la guérison confondue avec la satisfaction d'un départ altier.

Derrière lui, un bruissement léger. Il eut à peine le temps de se retourner. C'était Marie. Ses yeux brillaient, son visage était un peu empourpré.

« Qu'as-tu donc ?

— Pourquoi es-tu parti ? Pourquoi m'avoir laissée seule ? J'ai eu très peur.

— Allons ! » dit-il, et il l'attira auprès de lui. Il lui sourit et l'embrassa. Elle avait des lèvres chaudes, pulpeuses. « Viens », dit-il, et il la fit asseoir sur ses genoux. Elle se blottit tout contre lui, lui passa les bras autour du cou. Comme elle était belle ! Une senteur capiteuse émanait de ses cheveux blonds ; il sentit monter en lui une tendresse infinie pour cet être au corps souple et parfumé, serré contre sa poitrine. Des larmes lui vinrent aux yeux, il saisit les mains de Marie pour les embrasser. Comme il l'aimait !

Venu du lac, un faible sifflement leur fit dresser la tête. Ils se levèrent et, se donnant le bras, se rapprochèrent de la rive. On pouvait apercevoir le vapeur dans le lointain. Ils attendirent qu'il fût suffisamment proche pour pouvoir distinguer les silhouettes des gens sur le pont ; puis ils se retournèrent et, d'un pas de promenade, regagnèrent par la forêt leur maison. Ils marchaient enlacés, lentement, se souriant par moments. Ils retrouvaient les mots anciens, les mots de leurs premières journées d'amoureux. Ils échangeaient les questions tendres qu'inspire l'affection inquiète, et les paroles ferventes qui apaisent et câlinent. Redevenus des enfants, ils étaient gais, le bonheur était là.

Un été lourd, ardent s'était installé avec des jours torrides, brûlants, et des nuits tièdes, lascives. Chaque journée répétait celle de la veille, chaque nuit recommençait la précédente, le temps était arrêté. Ils étaient seuls, ils ne se souciaient que d'eux-mêmes ; la forêt, le lac, la petite maison, c'était leur univers. Une touffeur exquise les enveloppait qui abolissait la pensée. Pour eux des nuits insoucieuses, ponctuées de rires, des journées lasses et tendres s'écoulaient.

Au cours d'une de ces nuits, la bougie brûlait

encore, Marie, étendue dans son lit, les yeux ouverts, se redressa. Elle examina le visage de son amant reposant calmement dans un profond sommeil. Elle épia sa respiration. Il n'y avait plus de doute, chaque heure le rapprochait de la guérison. Une tendresse indicible la submergea, elle se pencha tout contre lui, avide de sentir sur ses joues le souffle de sa respiration. Oh ! quelle joie c'était de vivre ! Elle l'avait retrouvé, elle l'avait retrouvé, et pour toujours.

Une inspiration du dormeur d'un bruit différent des précédentes la fit sursauter. Un gémissement faible, étouffé. Sur les lèvres de Félix soudain entrouvertes une expression de douleur était apparue, et Marie découvrit avec angoisse des gouttes de sueur sur son front. Il avait légèrement tourné la tête de côté. Puis ses lèvres se refermèrent, son visage reprit une expression paisible, sa respiration un moment agitée redevint régulière, presque silencieuse. Marie se sentit brusquement saisie d'une anxiété torturante. Elle aurait voulu le réveiller, se blottir contre lui, sentir sa chaleur, sa vie, son existence. Un étrange sentiment de culpabilité l'envahit, cette confiance joyeuse dans la guérison lui parut tout d'un coup de la présomption. Voilà qu'elle s'efforçait de se convaincre elle-même que cette confiance n'avait pas été si assurée, non, qu'il ne s'agissait que d'un espoir léger, reconnaissant, pour lequel elle ne méritait pas d'être châtiée aussi durement. Elle se promit de ne plus se montrer aussi inconsidérément heureuse. Soudain, toute cette période d'ivresse exaltante n'était plus que péché de légèreté, un péché qu'elle devait expier. Certainement ! Pourtant ce qui peut être jugé communément péché, n'était-ce pas chez eux quelque chose de différent ? N'était-ce pas l'amour qui pouvait peut-être accomplir des miracles ? N'étaient-ce pas justement ces dernières nuits exquises qui lui rendraient la santé ?

Un gémissement affreux s'échappa de la bouche de Félix. A demi endormi, il s'était dressé dans son lit, affolé, les yeux grands ouverts, perdus dans le vague. Marie ne put retenir un cri qui le réveilla complètement. « Qu'est-ce qu'il y a ? Qu'est-ce qu'il y a ? » gémit-il. Marie ne trouvait rien à répondre. «As-tu crié, Marie ? J'ai entendu crier.» Sa respiration était très rapide. « J'avais l'impression d'étouffer. J'ai également rêvé, mais je ne sais plus quoi.

— J'ai eu si peur, balbutia-t-elle.

— Sais-tu, Marie, voilà que j'ai froid.

— Tout s'explique si tu as fait des cauchemars.

— Allons donc ! » Il leva vers elle un regard courroucé. « J'ai de nouveau de la fièvre, c'est simple. » Ses dents claquaient, il se recoucha, tira sur lui la couverture.

Elle regardait autour d'elle, désemparée. « Est-ce que je dois... ? Veux-tu que je... ?

— Rien du tout. Dors donc ! Je suis fatigué, je vais dormir aussi. Laisse brûler la bougie. » Il ferma les yeux et remonta la couverture jusqu'au-dessus de sa bouche. Marie n'osa plus le questionner. Elle savait à quel point la pitié pouvait l'exaspérer quand il ne se sentait pas bien portant. Au bout de quelques minutes il s'était déjà rendormi, mais elle-même ne trouva plus le sommeil. Bientôt de faibles lueurs commencèrent à pénétrer dans la chambre. Ces premiers signes discrets du matin proche réconfortèrent Marie. C'était pour elle comme une visite amicale, souriante. Cédant à une impulsion étrange, elle voulut courir au-devant de l'aube. Elle descendit tout doucement du lit, passa rapidement un peignoir et se glissa sur la terrasse. Le ciel, la montagne, le lac, tout baignait encore dans une grisaille vaporeuse. Elle éprouva un certain plaisir à forcer un peu sa vue pour distinguer plus nettement les contours. Elle s'assit dans un fauteuil, et laissa ses regards plonger dans la pénombre. Reposer ainsi, en plein air, dans le calme profond d'un matin d'été naissant, procurait à Marie un bien-être indicible. Autour d'elle tout était si paisible, si doux, si éternel. C'était si bon d'être un moment seule dans le silence, hors de cette chambre étroite, étouffante. Et soudain, dans un éclair de lucidité, elle comprit qu'elle était heureuse d'avoir quitté le chevet du malade, heureuse d'être là, heureuse d'être seule !

Les pensées suscitées par la nuit écoulée la hantèrent tout le jour suivant. Elles n'étaient plus aussi torturantes, aussi inquiétantes que dans l'obscurité, mais plus nettes, et réclamaient des décisions. Elle résolut en premier de refréner autant que possible la violence de son amour. Elle n'arrivait pas à comprendre que, pendant si longtemps, elle n'y eût pas songé. Ah, elle voulait se montrer si douce, si sage que son attitude ne serait pas interprétée comme un recul, mais comme une nouvelle forme, une forme supérieure d'amour.

Cependant, il ne lui était pas nécessaire de faire preuve particulièrement de sagesse et de douceur. Chez Félix, depuis cette nuit-là, tous les orages de la passion paraissaient dissipés. Lui-même témoignait à Marie une tendresse lasse qui au début la rassura, puis finalement l'inquiéta. Il lisait beaucoup pendant ces journées, ou du moins faisait semblant, car elle pouvait remarquer assez souvent que, par-dessus son livre, son regard se perdait au loin dans le vague. Leurs conversations ne portaient que sur mille choses banales, jamais sur des sujets importants. Sans pourtant donner l'impression à Marie qu'il ne lui confiait plus ses pensées intimes. Cela se faisait tout naturellement, comme si ce ton feutré, indifférent, ne provenait chez lui que de la douce lassitude de la convalescence. Il restait longtemps couché le matin tandis qu'elle avait pris l'habitude de se précipiter hors de la chambre dès les premières lueurs du jour. Ou bien elle restait assise sur la terrasse, ou bien elle descendait jusqu'au lac et montait dans une barque pour se laisser mollement bercer par les vagues sans s'éloigner de la rive. Elle allait parfois se promener en forêt, et c'était habituellement au retour d'une de ces petites sorties matinales qu'elle entrait dans sa chambre pour le réveiller. Elle était si heureuse qu'il eût un bon sommeil, ce qu'elle interprétait comme un signe favorable. Combien de fois il s'éveillait la nuit, elle ne le savait pas, et elle ne voyait pas le regard empreint d'une tristesse infinie qu'il abaissait sur elle, plongée dans le profond sommeil que procurent la jeunesse et la santé.

Un matin, à l'heure où l'aurore répandait sur le lac ses premières étincelles d'or, elle était de nouveau montée dans la barque lorsque l'envie la prit de se risquer pour une fois loin sur l'eau claire, chatoyante. Elle rama sur une longue distance, mais fort peu entraînée à cet exercice, elle dut produire un effort exceptionnel, ce qui augmenta encore sa joie. Même de si bonne heure on ne se trouvait jamais parfaitement seul sur le lac. Quelques barques croisèrent la sienne, et elle crut remarquer que certaines s'approchaient non pas par hasard. Un petit canot élégant dans lequel ramaient deux jeunes messieurs glissa rapidement tout le long de la barque. Ces derniers rentrèrent leurs rames, et soulevant leurs coiffures, la saluèrent poliment avec un sourire.

Marie ouvrit de grands yeux, et leur dit machinalement : « Bonjour. » Puis, d'un mouvement inconscient, elle se retourna vers les deux jeunes gens. Ceux-ci aussi s'étaient retournés, et la saluèrent de nouveau. Alors elle réalisa soudain qu'elle avait fait quelque chose de mal, et, aussi vite que le lui permirent ses modestes moyens, elle rama vers la maison. Le retour lui demanda presque une demi-heure, elle arriva, les joues en feu, les cheveux dénoués. Déjà du lac elle avait aperçu Félix, assis sur la terrasse. En toute hâte elle se précipita dans la maison. Bouleversée comme si elle était coupable de quelque faute, elle courut sur le balcon, saisit Félix de dos et lui demanda avec un entrain forcé : « Qui est-ce ? »

Il se dégagea lentement, la regarda calmement de côté. « Qu'as-tu donc ? Pourquoi es-tu si joyeuse ?

— Parce que je te retrouve.

— Comme tu es excitée ! Tu es cramoisie.

— Mon Dieu ! Je suis si contente, si contente, si contente ! »

D'un geste fougueux, elle rejeta le plaid qui couvrait Félix et s'assit sur ses genoux. Elle s'en voulut de son propre embarras, puis en voulut à Félix de montrer un visage aussi contrarié, elle l'embrassa sur les lèvres.

41

« Quelle raison as-tu d'être si contente ?

« N'en ai-je donc pas ? Je suis si heureuse que... »
— elle hésita puis continua — « que tu en sois libéré.

— De quoi ? » Dans son interrogation perçait la méfiance.

Il fallait bien que Marie s'explique. Pas d'échappatoire possible.

« Eh bien, de la peur.

— Tu veux dire de la peur de la mort ?

— Ne parle pas de cela.

— Pourquoi dis-tu que *moi,* j'en suis libéré ? *Toi,* tu l'es bien aussi, n'est-ce pas ? » A ces paroles, son visage prit un air inquisiteur presque mauvais. Et, comme au lieu de répondre elle lui passait les mains dans les cheveux et approchait la bouche de son front, il rejeta un peu la tête en arrière et continua, impitoyable, glacial : « N'as-tu pas eu, une fois au moins, l'intention de partager mon destin ?

— Et cela sera », s'exclama-t-elle vivement avec flamme. Il l'interrompit gravement : « Non, cela ne sera pas. Pourquoi nous bercer d'illusions ? Je n'en suis pas libéré. Cela se rapproche chaque jour, je le sens.

— Mais... » Elle s'était insensiblement écartée, et s'appuyait maintenant à la rambarde de la terrasse. Il se leva, marcha de long en large.

« Oui, je le sens. Il est de toute façon de mon devoir de t'en faire part. Si cela te frappait à l'improviste, le choc serait probablement par trop violent. Je te rappelle donc que le quart de mon sursis est écoulé. Il se peut que je me persuade seulement que

42

je doive te le dire, et que la seule raison soit ma lâcheté.

— M'en veux-tu, demanda-t-elle, inquiète, de t'avoir laissé seul ?

— C'est ridicule ! répliqua-t-il vivement. Je pourrais te voir *sereine*. Moi-même, tel que je me connais, j'attendrai un certain jour avec sérénité. Mais ta *gaieté*, sincèrement, je ne puis la supporter. Je te laisse donc toute liberté déjà dans les jours prochains de séparer ton destin du mien.

— Félix ! » Des deux bras elle l'arrêta dans sa marche. Il se dégagea.

« La période la plus pitoyable commence. Jusqu'à présent j'étais le malade intéressant, un peu pâle, un peu poitrinaire, un peu mélancolique. Dans une certaine mesure cela peut encore plaire à une femme. Mais ce qui doit venir maintenant, mon enfant, je préfère te l'épargner. Cela empoisonnerait le souvenir que tu garderas de moi. »

Elle cherchait en vain une réponse, et le regardait toute désemparée.

« C'est dur à admettre, t'imagines-tu ? Une attitude que l'on taxerait d'insensibilité, et même à la fin d'ignominie. Je te déclare ici qu'il ne peut en être question, et que, bien au contraire, tu rendras un fier service à ma vanité si tu acceptes ma proposition. Car je veux que tu gardes de moi un douloureux souvenir, que tu verses sur moi des larmes sincères. Mais ce que je ne veux pas, c'est te voir des jours et des nuits penchée à mon chevet avec une unique pensée : si c'était fini, puisqu'il faut bien que cela finisse, et que mon départ soit pour toi une délivrance. » Elle s'efforçait désespérément de dire quelque chose. Finalement, elle s'écria : « Je resterai auprès de toi pour l'éternité. » Il n'y fit pas attention. « Nous n'allons plus en parler. Dans huit jours, je pense, je partirai pour Vienne. Je voudrais mettre encore un certain nombre d'affaires en ordre. Avant de quitter cette maison, j'ai encore une demande, non, une prière, à t'adresser.

— Félix, je... »

Il l'interrompit avec violence. « Je t'interdis de prononcer encore une parole à ce sujet avant la date que j'ai fixée. » Il quitta le balcon, se dirigea à l'intérieur de l'appartement. Elle voulut le suivre. « Laisse-moi maintenant, dit-il très doucement, je veux être un peu seul. »

Retenant ses pleurs, elle resta sur le balcon à fixer l'étendue étincelante. Félix s'était rendu dans la chambre à coucher et s'était jeté sur le lit. Il contempla longtemps le plafond, puis il se mordit les lèvres, serra les poings. Enfin, dans un rictus méprisant, il murmura : « Se résigner ! Se résigner ! »

A partir de cette heure, un élément étranger s'était introduit dans leurs relations et, en même temps, un besoin nerveux de causer de mille choses. Ils discutaient des sujets les plus terre à terre avec une grande prolixité. Ils étaient saisis d'anxiété dès qu'ils cessaient de parler. D'où venaient les nuages gris qui se posaient sur les montagnes, quel temps devait-on attendre pour demain, pourquoi l'eau prenait-elle des teintes changeantes aux divers moments de la journée ; de telles questions donnaient lieu à de longues discussions. Allaient-ils se promener, ils quittaient alors plus souvent qu'auparavant les environs immédiats de leur maison et s'acheminaient vers les rives du lac plus animées. Là s'offrait mainte occasion de se livrer à des remarques sur les gens qu'ils rencontraient. Quand, par hasard, des jeunes gens les croisaient, Marie prenait une attitude particulièrement réservée, et si Félix émettait un vague jugement sur le costume d'été de quelque canotier ou alpiniste, Marie, avec une mauvaise foi à peine consciente, allait jusqu'à prétendre qu'elle n'avait pas vu ces personnes, et ne consentait que difficilement à les observer attentivement lors d'une nouvelle rencontre. Dans de telles occasions, elle se sentait frôlée par un regard qui lui était désagréable. Puis il leur arrivait de nouveau de marcher un quart d'heure côte à côte sans échanger une parole. Parfois ils restaient assis ensemble sur le balcon en silence jusqu'à ce que Marie, assez souvent, mais sans pouvoir dissimuler son manège, recourût à un expédient, la lecture du journal. Même quand elle remarquait qu'il n'écoutait plus, elle continuait à lire, heureuse d'entendre le son de sa propre voix, heureuse qu'entre eux le silence ne fût plus complet. Et cependant, en dépit de ces efforts épuisants, chacun d'eux restait plongé dans ses propres pensées.

Félix dut s'avouer qu'il avait dernièrement joué à Marie une comédie ridicule. S'il avait eu vraiment le désir de lui épargner sa fin proche, le mieux aurait été de disparaître simplement de sa vie. Il se serait déjà trouvé une petite place isolée pour y mourir en paix. Il s'étonnait lui-même de considérer ces choses avec un sang-froid total. Mais quand il commença à réfléchir sérieusement à l'exécution de ce plan, quand, au cours d'une interminable, effroyable nuit blanche, il en envisagea les détails : partir le lendemain au petit jour sans dire adieu, partir pour la solitude et la mort prochaine en laissant Marie à une vie ensoleillée, riante, une vie perdue pour lui, il ressentit alors toute son impuissance, comprit qu'il ne le pouvait pas, qu'il ne le pourrait jamais. Que faire alors ? Le jour viendra, se rapprochera inexorablement où il devra disparaître et laisser derrière lui Marie. Toute son existence ne sera plus que l'attente de ce jour, rien d'autre qu'un sursis déchirant, pire que la mort elle-même. Si seulement il n'avait pas appris dès sa jeunesse à s'observer lui-même ! Tous les symptômes de sa maladie lui auraient échappé, ou bien il leur aurait peu prêté attention. Sa mémoire lui restituait l'image de gens qu'il avait connus et qui, minés par cette même maladie mortelle, avaient encore, quelques semaines avant leur mort, envisagé l'avenir d'un œil serein, brillant d'espoir. Comme il maudissait l'heure où l'incertitude sur son cas l'avait conduit chez ce médecin auquel, à force de mensonges et par l'étalage d'une force d'âme illusoire, il avait arraché la vérité entière, impitoyable. Et le voilà maintenant, individu cent fois réprouvé, n'ayant rien à envier au condamné qui peut chaque matin voir le bourreau s'approcher pour le conduire sur le lieu de l'exécution ; et il comprit qu'il n'était vraiment parvenu à aucun moment à se représenter toute l'horreur de son existence. Dans quelque recoin de son cœur était tapi un espoir perfide, séducteur, qui ne l'abandonnerait jamais complètement. Mais sa raison était la plus forte, et elle lui donnait un conseil clair et net qu'elle lui répétait inlassablement, qu'il entendait dix fois, cent fois, mille fois pendant ces nuits de veille interminables, et pendant ces journées monotones qui pourtant s'écoulaient trop vite, à savoir qu'il n'y avait pour lui qu'une issue, qu'un salut : ne pas attendre, pas une heure, pas une seconde de plus, pour y mettre fin lui-même, ce serait moins lamentable. C'était presque une consolation de savoir qu'il n'était pas forcé d'attendre. A chaque instant, s'il le voulait, il pouvait en finir.

Mais elle, elle ! Dans la journée, en particulier, quand elle marchait près de lui ou lui faisait la lecture, il avait souvent le sentiment qu'il ne lui serait pas pénible de se séparer de cette femme. Elle ne représentait pour lui rien de plus qu'un élément de l'existence. Elle faisait partie de la vie qui l'entourait et qu'il lui fallait bien un jour quitter, elle ne lui appartenait pas en propre. Mais à d'autres moments, particulièrement la nuit, quand elle reposait près de lui, les paupières closes, lourdes d'un profond sommeil, dans la beauté de sa jeunesse, il l'aimait éperdument, et, plus son repos à elle était paisible, plus il l'isolait du monde, plus son âme perdue dans des rêves s'éloignait de lui, de ses souffrances qui le tenaient éveillé, plus il l'aimait follement. Et une certaine nuit, avant leur départ du lac, un désir irrésistible le prit de la tirer brutalement de ce sommeil délicieux et de lui crier à l'oreille : « Si tu m'aimes, meurs avec moi, meurs maintenant. » Cependant il la laissa dormir, il le lui dirait demain, demain, peut-être.

Plus souvent qu'il ne s'en doutait, elle avait pendant ces nuits senti son regard posé sur elle. Plus souvent qu'il ne s'en doutait, elle avait simulé le sommeil parce qu'une angoisse paralysante l'empêchait d'ouvrir complètement les paupières à travers lesquelles, l'espace d'un éclair, elle percevait la pénombre de la chambre et la silhouette dressée sur le lit. Le souvenir de leur dernier entretien sérieux ne la quittait pas, et elle tremblait à la pensée du jour où il lui reposerait la même question. Pourquoi tremblait-elle à ce propos ? La réponse n'était-elle pas claire dans son esprit ? Demeurer courageusement auprès de lui jusqu'à la dernière seconde, recueillir chaque soupir de ses lèvres, embrasser sur ses cils chaque larme arrachée par la douleur ! Doutait-il donc de sa résolution ? Une autre réponse était-elle possible ? Comment ? Laquelle ? Par exemple : « Tu as raison, je vais te quitter. Je veux garder le souvenir du malade digne d'intérêt. Je te laisse seul pour pouvoir mieux chérir ta mémoire. » Et alors ? Elle était irrésistiblement forcée de se représenter tout ce qui devait suivre cette réponse. Elle le voit devant elle, froid, souriant. Il lui tend la main. « Je te remercie. » Puis il se détourne, et elle s'en va rapidement. C'est un matin d'été rayonnant de l'éveil de mille joies. Et elle se hâte dans l'aube aux rayons d'or pour s'éloigner de lui aussi vite que possible. Soudain, tout l'envoûtement s'évanouit. Elle est de nouveau seule, libérée de la pitié. Elle ne sent plus reposer sur elle le regard interrogateur du mourant qui l'a si terriblement tourmentée tous ces derniers mois. Elle appartient à la joie, à la vie, elle a de nouveau le droit d'être jeune. Elle s'enfuit, et le vent du matin virevolte à sa suite dans un éclat de rire.

Comme sa détresse redoublait quand surgissait

cette vision née de ses rêves troubles ! Qu'elle pût lui apparaître était déjà affreux.

Comme cette pitié pour le malade torturait son cœur, comme elle frémissait d'horreur de le voir conscient de son état désespéré ! Et comme elle l'aimait d'un amour d'autant plus profond que le jour approchait où elle devait le perdre ! Ah, sa réponse ne pouvait être douteuse. Tenir bon auprès de lui, souffrir avec lui, c'était si peu de chose ! Le voir attendre sa dernière heure, partager avec lui pendant des mois la peur de la mort, tout cela n'était rien. Elle veut faire plus pour lui, le plus beau don, le don suprême. Si elle lui promettait de se tuer sur sa tombe, il mourrait avec un doute, allait-elle vraiment le faire ? C'est avec lui, non, *avant* lui qu'elle veut mourir. Lorsqu'il lui posera la question, elle aura la force de répondre : « Mettons fin à cette torture, mourons ensemble, mourons en même temps. » Et tandis qu'elle se grisait de cette idée, cette femme dont l'image venait de lui apparaître, qui se hâtait à travers champs dans la caresse du vent matinal, qui se précipitait au-devant de la vie et de la joie, cette femme qu'elle était lui apparut pitoyable et méprisable.

Le jour du départ arriva. Un matin d'une douceur merveilleuse comme si le printemps revenait. Marie était déjà assise sur la terrasse, et le petit déjeuner était prêt quand Félix sortit de la salle de séjour. Il respira profondément. « Ah, quelle journée magnifique !

— N'est-ce pas ?

— Je vais te dire quelque chose, Marie.

— Quoi donc ? » Et rapidement elle ajouta, semblant vouloir devancer sa réponse : « Nous restons encore ici ?

— Non pas, mais nous ne rentrerons pas tout de suite à Vienne. Je ne me sens pas mal aujourd'hui, pas mal du tout. Nous allons nous arrêter quelque part sur le parcours.

— Comme tu veux, mon chéri. » Une sensation de bien-être l'envahit subitement. De toute la semaine, il n'avait jamais parlé de façon si détendue.

« Je pense, mon petit, que nous nous arrêterons à Salzbourg.

— Comme tu veux.

— Nous arriverons toujours assez tôt à Vienne, ne crois-tu pas ? Et puis je trouve le trajet en chemin de fer trop long.

— Bien sûr, approuva vivement Marie, rien ne nous presse.

— N'est-ce pas, Marion ? Les bagages sont prêts ?

— Depuis longtemps. Nous pouvons partir sur l'heure.

— Je pense que nous prendrons une voiture. C'est une course de quatre, cinq heures, et plus agréable que par le train. Les wagons doivent avoir conservé la forte chaleur d'hier.

— Comme tu veux, mon chéri. » Elle l'invita à boire son verre de lait, et attira son attention sur les beaux reflets argentés qui jouaient sur les crêtes des vagues. Elle se fit volubile, exubérante. Il lui répondait aimablement, calmement. Elle s'offrit enfin à commander la voiture qui, à midi, les conduirait à Salzbourg. Il accepta en souriant. Elle se coiffa rapidement de son grand chapeau de paille, embrassa plusieurs fois Félix sur la bouche, et courut dans la rue.

Il n'avait pas posé la question. Il ne la poserait pas. C'était inscrit sur son front serein. Son amabilité présente ne cachait aucune agressivité, alors qu'il lui arrivait parfois d'interrompre à dessein d'une invective une conversation innocente. Quand cela devait se produire, elle l'avait toujours pressenti, et maintenant il semblait à Marie qu'il lui avait fait une grande faveur. Cette douceur était aussi une sorte de cadeau, un gage de réconciliation.

Revenant sur le balcon, elle le trouva en train de lire le journal arrivé pendant son absence.

« Marie », cria-t-il, lui faisant signe du regard de s'approcher, « quelque chose de surprenant, quelque chose de surprenant ! »

— Eh bien, quoi ?

— Lis donc ! Cet homme, le professeur Bernard, est mort.

— Qui ?

— Celui-là même auprès de qui..., enfin celui qui m'avait annoncé de si sombres perspectives. »

Elle lui prit le journal des mains. « Quoi, le professeur Bernard ? » Elle avait sur les lèvres un « Bien fait pour lui ! », mais elle ne l'exprima pas. Il leur semblait que cet événement revêtait pour eux une grande importance. Oui, celui qui de toute la science arrogante de sa santé inébranlable avait enlevé tout espoir au malheureux quêtant un secours, avait été lui-même emporté en quelques jours. Ce n'est qu'à cet instant que Félix se rendit compte à quel point il avait haï cet homme, et le fait qu'il fût victime d'un destin vengeur semblait au malade un présage des plus favorables, l'impression qu'une ombre maléfique disparaissait de son voisinage. Marie rejeta le journal et déclara : « Vraiment, que savons-nous, nous autres humains, de l'avenir ? » Il reprit ces paroles avec véhémence. « Que savons-nous du lendemain ? Nous ne savons rien, rien ! » Après une courte pause, il passa sans transition à un autre sujet. « Tu as commandé la voiture ?

— Oui, pour onze heures.

— Dans ce cas, nous pouvons bien faire encore un petit tour sur l'eau, qu'en dis-tu ? »

Elle prit son bras, et tous deux marchèrent jusqu'au hangar à bateaux. Ils avaient le sentiment d'avoir reçu une satisfaction bien méritée.

Ils pénétrèrent dans Salzbourg tard dans l'après-midi. A leur grand étonnement, ils virent la plupart des maisons pavoisées. Les gens qu'ils rencontraient étaient en tenue de soirée, certains arboraient des cocardes. A l'hôtel où ils étaient descendus et avaient pris une chambre donnant sur le Mönchsberg, on leur expliqua qu'un grand gala de chant était organisé, et on leur offrit des cartes pour le concert qui devait avoir lieu à huit heures dans le parc somptueusement éclairé. Leur chambre se trouvait au premier étage, la Salzach coulait sous leur fenêtre. Tous deux avaient souvent sommeillé pendant le trajet, et se sentaient si dispos qu'ils ne restèrent que peu de temps à l'hôtel et redescendirent dans la rue avant la tombée de la nuit.

Une joyeuse animation régnait dans toute la ville. On eût dit que tous les habitants étaient dans la rue, les chanteurs avec leurs insignes déambulaient parmi la foule, en groupes enjoués. On pouvait voir également de nombreux étrangers, un afflux de visiteurs était même venu des villages environnants, paysans en costume du dimanche qui jouaient des coudes dans la cohue. Aux pignons des oriflammes aux couleurs de Salzbourg claquaient au vent, des arcs de triomphe décorés de fleurs ornaient les grandes artères, par toutes les rues un fleuve humain paisible ondoyait dans la douceur exquise d'une soirée d'été embaumée.

Quittant la rive de la Salzach, délicieux asile de silence, ils parvinrent soudain au beau milieu de l'agitation. Après les jours monotones passés dans le calme au bord du lac, la rumeur inhabituelle les étourdissait. Cependant ils eurent bientôt retrouvé l'aisance de citadins confirmés, et purent jouir en toute quiétude de l'animation. Comme par le passé, Félix ne goûtait pas particulièrement la gaieté populaire ; Marie, par contre, parut vite s'y complaire, s'arrêtant comme une enfant devant des femmes en costumes folkloriques, ou suivant des yeux quelques chanteurs imposants, ceints de leurs écharpes, qui les croisaient. Parfois elle regardait en l'air pour admirer la décoration particulièrement somptueuse d'un certain bâtiment. Elle se retournait de temps en temps vers Félix qui marchait à son côté sans manifester un grand intérêt, poussant une exclamation : « Regarde

53

comme c'est beau ! » sans obtenir d'autre réponse qu'un hochement de tête silencieux.

« Sérieusement, ne crois-tu pas que nous avons eu une heureuse inspiration ? » dit-elle enfin.

Elle ne put déchiffrer le regard qu'il lui jeta. Il se décida à dire : « Tu souhaiterais probablement aller dans le parc entendre le concert ? »

Elle se contenta de sourire, puis répliqua : « Nous n'allons pas commencer à nous montrer radins. »

Son sourire l'exaspéra. « Serais-tu vraiment capable d'exiger cela de moi ?

— Mais qu'est-ce qui te prend ? » dit-elle effrayée, puis elle se retourna aussitôt pour contempler un couple gracieux, élégant, visiblement en voyage de noces, qui passait, devisant joyeusement, de l'autre côté de la rue. Marie reprit la promenade au côté de Félix, mais sans lui prendre le bras. Par moments le flot humain les séparait pour quelques secondes, elle le retrouvait alors longeant les murs, manifestant ainsi sa répugnance à côtoyer ces gens. Sur ces entrefaites la nuit tombait, les lumières brûlaient dans les réverbères, et, à certains endroits de la ville, en particulier le long des arcs de triomphe, on avait pendu des lampions multicolores. La majorité des promeneurs se dirigeait vers le casino. L'heure du concert approchait. Tout d'abord ils furent entraînés par la foule, puis Félix prit soudain le bras de Marie, ils obliquèrent dans une plus petite rue, atteignirent bientôt un quartier plus calme et moins illuminé. Après quelques minutes d'une marche silencieuse ils se trouvèrent au bord de la Salzach, en un endroit tout à fait écarté où seul le bruissement monotone de la rivière leur parvenait.

« Que cherchons-nous donc là ? demanda-t-elle.

— Le calme », dit-il d'une voix presque autoritaire. Et comme elle ne répliquait rien, il continua sur un ton d'excitation nerveuse : « Nous ne sommes pas à notre place là-bas. Les lumières chatoyantes, les chants joyeux, les gens qui rient, la jeunesse ne sont plus pour nous. Voici la place qui nous convient où les bruits de la fête ne résonnent pas, où nous sommes solitaires. C'est ici que nous devons être. » Puis il ajouta, d'un accent contenu où perçait de nouveau un mépris glacial : « *Moi,* tout au moins. »

En l'écoutant, elle se rendit compte que cela ne la touchait pas aussi profondément qu'auparavant. Mais elle se dit qu'elle l'avait souvent entendu, et puis qu'il exagérait visiblement. Aussi sa réponse fut-elle empreinte d'une douceur conciliatrice. « Je ne mérite pas cela, non vraiment. »

Et lui, là-dessus, d'un ton fielleux : « Excuse-moi. »

Saisissant son bras, se blottissant contre lui, elle continua :

« *Nous deux,* nous ne sommes pas ici à notre place.

— Oui ! » Il le cria presque.

« Moi non plus, dit-elle doucement, je ne veux pas retourner dans la foule. Mais quelle raison avons-nous donc de fuir comme si nous étions des pestiférés ? »

A cet instant, à travers l'air pur, immobile, la musique de l'orchestre résonna jusqu'à eux dans toute son ampleur. On pouvait presque distinguer nettement chaque son. C'étaient de solennels appels de trombones, manifestement le morceau d'ouverture du concert.

« Partons », dit soudain Félix, après qu'ils furent restés un moment immobiles à écouter. « Rien ne me rend plus triste au monde qu'une musique dans le lointain.

— Oui, dit-elle, l'effet est mélancolique. »

Ils regagnèrent rapidement la ville. Là on entendait moins distinctement la musique qu'en bas au bord de la rivière, et quand ils retrouvèrent les rues éclairées, animées, Marie fut reprise d'une tendre compassion pour son bien-aimé. Elle le comprit de nouveau, lui pardonna tout. « Rentrons-nous chez nous ? demanda-t-elle.

— Non, pourquoi ? As-tu sommeil ?

— Oh non !

— Nous allons rester encore un peu dehors, n'est-ce pas ?

— Comme tu veux. L'air n'est-il pas un peu frais ?

— Mais il fait lourd, il fait même très chaud, répondit-il, agacé. Nous allons dîner en plein air.

— Très volontiers. »

Ils arrivèrent au voisinage du parc. L'orchestre avait terminé son morceau d'introduction. De l'enceinte illuminée ne parvenait plus que le brouhaha des conversations, des exclamations de plaisir. Quelques retardataires passèrent près d'eux en courant, parmi ceux-ci deux chanteurs qui, dans leur hâte, les frôlèrent. Marie les suivit des yeux et, tout de suite après, les reporta sur Félix, un peu inquiète, comme pour réparer une faute. Il se mordait les lèvres, une colère péniblement réprimée marquait

56

son front. Elle crut qu'il allait dire quelque chose, mais il resta muet. Se détournant d'elle, son regard assombri suivit les deux hommes qui disparurent à l'entrée du parc. Il savait ce qu'il éprouvait. Devant lui passait ce qu'il haïssait mortellement. Une partie de ce qui serait encore là quand lui n'y serait plus, des êtres qui seraient encore jeunes et vivants, qui riraient quand lui ne pourrait plus ni rire, ni pleurer. Et ainsi, près de lui, accroché à son bras plus étroitement qu'auparavant par un sentiment de culpabilité, marchait un membre de cette jeunesse vivante et rieuse, sensible inconsciemment à cette parenté. Et *lui* le savait, et une douleur furieuse le déchirait. Pendant de longues secondes ils restèrent muets tous les deux. Puis un profond soupir sortit de la poitrine de Félix ; elle voulut voir son visage, mais il l'avait détourné. Tout à coup il dit : « Ici ce serait très bien. » Sur le moment, elle ne comprit pas sa pensée. « Comment ? »

Ils se trouvaient devant un restaurant en plein air tout près du parc. De grands arbres recouvraient de leurs cimes les tables aux nappes blanches, faiblement éclairées par des lampadaires. Ce jour-là, les clients étaient rares. Ils purent à loisir choisir leur place, et s'installèrent finalement dans un angle du jardin. Il y avait en tout à peine vingt personnes. Tout près d'eux était assis le jeune couple qu'ils avaient déjà rencontré. Marie les reconnut aussitôt. De l'autre côté, dans le parc, un chœur se fit entendre. Les voix leur parvenaient un peu affaiblies, mais d'une sonorité parfaite ; et les feuilles des arbres semblaient vibrer au souffle éclatant des voix joyeuses. Félix avait commandé un bon vin du Rhin et le dégustait, les yeux mi-clos, s'abandonnant au charme de la musique, sans penser d'où elle venait. Marie s'était approchée tout contre lui, et il sentait la chaleur de son genou près du sien. Après la terrible exaltation des derniers moments, une sorte d'apathie bienfaisante l'avait soudain envahi, et il se félicitait d'être parvenu à force de volonté à cette indifférence. Car, au moment même où ils s'étaient assis à la table, il avait pris la ferme résolution de dominer sa douleur lancinante. Il était trop détendu pour déterminer plus en détail la part de sa volonté dans ce succès. Maintes considérations contribuaient maintenant à l'apaiser : le fait qu'il avait interprété le regard de Marie plus gravement qu'il ne le méritait, qu'elle n'aurait pas observé différemment quelqu'un d'autre, et qu'elle examinait le couple étranger à la table voisine de la même manière que précédemment les chanteurs.

Le vin était bon, la musique ensorceleuse, la soirée d'été d'une douceur grisante, et comme Félix levait les yeux vers Marie, il vit briller dans les siens l'éclat d'une bonté et d'un amour infinis. Il voulut s'abîmer de tout son être dans l'instant présent. Il fit un dernier appel à sa volonté pour qu'elle le libère de tout, du passé comme de l'avenir. Il voulait être heureux ou tout au moins grisé. Et soudain, à l'improviste, un sentiment entièrement nouveau lui vint, gage merveilleux de délivrance, l'impression qu'il ne lui en coûterait presque rien de se décider à se suicider. Oui, sur-le-champ. Cela lui serait toujours possible. Une ambiance pareille à celle-ci se retrouverait bientôt. De la musique, une légère ivresse, une jolie fille à son côté — ah oui, il y avait Marie. Il se dit que n'importe quelle autre aurait aussi pu lui plaire. Elle dégustait le vin avec grand plaisir. Félix dut bientôt commander une autre bouteille. Il y avait longtemps qu'il ne s'était pas senti aussi content. Il se rendait compte que tout cela provenait du peu d'alcool bu plus que d'habitude. Mais qu'importe ? L'essentiel était le résultat. Vraiment la mort avait perdu pour lui son aspect effrayant. Ah, tout était tellement égal !

« Qu'y a-t-il, Marion ? »

Elle se blottit contre lui. « Que veux-tu donc savoir ?

— Tout est tellement égal, n'est-ce pas ?

— Oui, tout, répondit-elle, si ce n'est que je t'aime pour l'éternité. »

Qu'elle lui déclare cela maintenant avec tant de sérieux lui parut étrange. La personnalité de Marie lui était presque indifférente. Elle se perdait dans l'ensemble. Oui, c'était bien ainsi, voilà comment il fallait traiter les choses. Ah, non, ce n'est pas le vin qui crée ces visions, le vin ne fait que nous débarrasser de ce qui d'ordinaire nous rend lourds et lâches, il dépouille de leur importance les choses et les gens. Là, maintenant, un peu de poudre blanche versée dans le verre, comme ce serait simple. A cette pensée il sentit des larmes lui monter aux yeux. Il s'apitoyait un peu sur lui-même.

Là-bas le chœur se terminait. On percevait maintenant les applaudissements et les bravos, puis ce fut une rumeur assourdie, et bientôt l'orchestre reprit avec une polonaise majestueuse au rythme allègre. Félix de la main battait la mesure. Une idée lui passa par la tête : « Ah, ce lambeau de vie, je veux le vivre aussi bien que possible. » Mais cette pensée n'impliquait rien de lugubre, elle avait plutôt quelque chose de fier, de royal. Comment ? Attendre dans l'angoisse son dernier souffle, qui est le sort commun ? Gâcher ses jours et ses nuits à remâcher des considérations fastidieuses alors qu'il se sent au tréfonds de lui-même encore mûr et vigoureux pour goûter tous les plaisirs, alors qu'il sent que la musique l'enthousiasme, que le vin le grise, et que son plus cher désir serait de prendre cette jolie fille sur ses genoux et de la couvrir de baisers ? Non, il est encore un peu trop tôt pour se laisser démoraliser ! Et quand l'heure viendra où il n'y aura plus pour lui aucun objet d'enthousiasme ou de désir, une fin rapide, volontaire, fière et royale ! Il prit la main de Marie, la garda longtemps dans la sienne. Lentement son souffle la caressa.

« Mais, voyons », murmura Marie, avec une expression de satisfaction. Il l'observa longuement. Qu'elle était belle, belle ! « Viens », dit-il alors. Elle répondit ingénument : « Si nous écoutions encore un morceau ?

— Oh oui, dit-il, nous ouvrirons notre fenêtre, et le vent nous l'apportera.

— Es-tu déjà fatigué ? » demanda-t-elle un peu soucieuse.

D'un air mutin, il lui caressa les cheveux et dit en riant : « Oui ! — Alors partons. »

Ils se levèrent et quittèrent le jardin. Elle prit son bras, s'y pendit très fort, appuya sa joue contre son épaule. Sur le chemin du retour, un chœur que les chanteurs venaient d'entonner les accompagnait, de plus en plus faiblement. L'hôtel était à peine à quelques minutes de là. Lorsqu'ils grimpèrent l'escalier, ils n'entendirent plus la musique, mais, dès l'entrée dans la chambre, le refrain de la valse les accueillit de ses accents endiablés. Ils trouvèrent la fenêtre grande ouverte. La clarté lunaire bleue répandait ses rayons dans la pièce. En face, les contours du Mönchsberg et du château se détachaient avec netteté. Il n'était pas nécessaire de donner de la lumière, un large rai argenté s'étendait sur le plancher, et seuls les angles de la chambre restaient dans l'ombre. Dans l'un, près de la fenêtre, se trouvait un fauteuil. Félix s'y jeta et attira violemment Marie dans ses bras, il l'embrassa, elle lui rendit ses baisers. Là-bas, dans le parc, le chant était terminé, mais on applaudit si longtemps qu'il fut repris du début. Soudain Marie se redressa et courut à la fenêtre. Félix la suivit. « Qu'est-ce que tu as ? » demanda-t-il.

— Non, non ! »

Il frappa du pied. « Pourquoi ce non ?

— Félix ! » Elle joignit les mains comme pour une prière.

« Non ? » dit-il, les dents serrées. « Non, il vaut mieux me préparer dignement à la mort.

— Mais, Félix ! » Et déjà elle se laissait tomber devant lui, et embrassait ses genoux.

Il l'attira à lui. « Tu es vraiment une enfant », murmura-t-il, puis, dans le creux de l'oreille : « Je t'aime, sais-tu ? Et nous pouvons être heureux aussi longtemps qu'il nous restera un peu de vie. Je renonce à une année vécue dans la détresse et l'angoisse, je ne veux que quelques semaines, quelques jours et quelques nuits. Mais je veux les *vivre,* je ne veux rien me refuser, et puis là en bas, si tu veux... » Entourant d'un bras sa taille, il désignait de l'autre la rivière qui coulait sous la fenêtre. Le chœur s'était tu, et l'on pouvait entendre le léger bruissement de l'eau.

Marie ne répondit rien. Elle s'était pendue étroitement à son cou, Félix respirait le parfum de sa chevelure. Comme il l'adorait ! Oui, encore quelques jours de bonheur, et puis...

Autour d'eux le silence s'était fait, et Marie s'était endormie à son côté. Depuis longtemps, le concert était terminé ; sous leur fenêtre, les derniers participants à la fête passaient en bavardant et en riant très fort. Que ces individus bruyants fussent ceux-là mêmes dont le chant l'avait si profondément ému était pour Félix un fait déconcertant. Enfin les dernières voix se turent, et il n'entendit plus que le murmure plaintif de la rivière. Oui, encore quelques jours et quelques nuits, et ensuite... Pourtant elle aimait tellement la vie. Aurait-elle jamais le courage ? Mais elle n'avait même pas besoin de courage, pas besoin même de le savoir. A une heure quelconque elle s'endormira dans ses bras, pour ne plus se réveiller. Et quand il en sera parfaitement sûr, oui, *ensuite* il pourra disparaître. Mais il ne lui dira rien, elle aime trop la vie ! Elle aurait peur de lui, il lui faut donc, lui seul... Quelle pensée épouvantable ! Le mieux serait tout de suite, maintenant, elle dort si bien ! Lui serrer fortement le cou, et ce serait accompli. Non, quelle stupidité ! Des heures délicieuses l'attendent encore, il saura bien laquelle devra être la dernière. Il contemplait Marie, et pensait tenir dans ses bras une esclave endormie.

La décision qu'il venait de prendre l'apaisa. Un sourire mauvais passait sur ses lèvres quand, flânant par les rues avec Marie les jours suivants, il remarquait le regard admiratif d'un homme qui parfois la frôlait. Ensemble à la promenade, ou assis le soir dans le jardin, ou la nuit quand il l'étreignait, il jouissait comme jamais auparavant d'un fier sentiment de propriété. Une seule chose le contrariait parfois, qu'elle ne le suive pas de plein gré dans la mort. Mais des indices lui prouvaient qu'il pourrait y parvenir. Elle n'osait pas se refuser à ses désirs ardents, son abandon n'avait jamais été aussi enchanté que dans ces dernières nuits. Frémissant de joie, il voyait le moment approcher où il pourrait lui dire : « Nous mourrons ensemble aujourd'hui. » Mais il repoussait cet instant. A certaines heures il imaginait un tableau de facture romantique : Il lui planterait un poignard dans le cœur, et elle, exhalant son dernier soupir, baiserait la main bien-aimée. Il se demandait toujours si elle était parvenue à ce stade. Pourtant, il était bien obligé d'en douter.

Un matin, au réveil, Marie fut prise d'une grande frayeur : Félix n'était plus à côté d'elle. Elle se redressa dans le lit et l'aperçut assis dans un fauteuil près de la fenêtre, blême comme un mort, la tête penchée, la chemise ouverte sur sa poitrine. Prise de panique, elle se précipita vers lui. « Félix ! »

Il ouvrit les yeux. « Quoi ? Qu'est-ce qu'il y a ? » Il porta les mains à sa poitrine et gémit.

« Pourquoi ne m'as-tu pas réveillée ? cria-t-elle, affolée.

— Maintenant, ça va », dit-il. Elle courut au lit, saisit la couverture, l'étala sur ses genoux. « Dis-moi, au nom du ciel, ce que tu fais ici.

— Je ne sais pas. J'ai dû rêver. Quelque chose m'étreignait la gorge. Je ne pouvais pas respirer. Je n'ai pas pensé à toi. Ici, près de la fenêtre, je me suis senti mieux. »

Marie avait jeté rapidement un vêtement sur ses épaules et fermé la fenêtre. Un vent désagréable s'était levé, du ciel gris une pluie fine commençait à tomber qui apportait dans la pièce un souffle d'humidité traîtresse. La chambre avait tout d'un coup perdu cette douce intimité d'une nuit d'été, elle était devenue grise et étrangère. Un matin d'automne désolé avait surgi qui raillait, balayait tout le charme que leurs rêves y avaient créé.

Félix était parfaitement calme. « Pourquoi ce regard affolé, qu'y a-t-il d'extraordinaire ? Des mauvais rêves, j'en ai déjà fait quand j'étais en bonne santé. »

Elle ne se laissa pas calmer. « Je t'en prie, Félix, rentrons, retournons à Vienne.

— Mais...

— De toute façon, l'été est fini. Regarde, dehors tout est vide, lugubre. De plus, si le froid vient, ce sera dangereux. »

Il l'écoutait attentivement. A son propre étonnement, il ressentait justement à ce moment un bien-être comme celui d'un convalescent fatigué. Il respirait sans effort, et la langueur qui l'enveloppait avait quelque chose de doux, de berceur. Il comprenait parfaitement qu'ils dussent quitter la ville. La perspective de changer de lieu lui était plutôt agréable.

Il se réjouissait à l'idée de passer une journée pluvieuse et froide dans un compartiment, la tête appuyée sur la poitrine de Marie.

« Bon, dit-il, nous partirons.

— Aujourd'hui même ?

— Oui, aujourd'hui même. Si tu veux, par le rapide de midi.

— Mais cela ne te fatiguera pas ?

— Que vas-tu penser ? Voyager n'est pas une épreuve ! Et tu te chargeras de tous les détails qui me sont insupportables en déplacement, n'est-ce pas ? »

Elle se félicitait de l'avoir si facilement convaincu de partir. Elle se mit sur-le-champ à s'occuper des bagages, régla la note, commanda une voiture, et fit réserver un compartiment. Félix fut bien vite habillé, il ne quitta pas la chambre et resta allongé sur le divan toute la matinée. Il regardait Marie s'affairer dans la pièce, et souriait parfois. Mais la plupart du temps il sommeillait. Il était si épuisé, si épuisé ; et quand il levait les yeux vers elle, il était heureux de savoir qu'elle resterait partout avec lui, et la pensée qu'ils reposeraient ensemble lui traversa l'esprit comme en rêve. « Bientôt, bientôt », pensa-t-il. En vérité, cela ne lui avait jamais semblé si éloigné.

Et, exactement comme il se l'était représenté le matin, Félix se retrouva l'après-midi confortablement allongé dans un compartiment, la tête sur la poitrine de Marie, le plaid étalé sur lui. Par les vitres fermées il observait la grisaille du jour, il voyait la pluie tomber doucement, plongeait ses yeux dans le brouillard d'où surgissaient parfois des collines et des maisons proches, les poteaux télégraphiques défilaient rapidement, montant, descendant, leurs fils dansaient ; de temps en temps le train s'arrêtait dans une gare, mais Félix, dans sa position, ne pouvait apercevoir les gens qui devaient se tenir sur le quai. Les pas, les voix, les sonneries, les sifflets ne lui parvenaient qu'assourdis. Au commencement il se fit lire le journal par Marie, mais elle devait par trop forcer sa voix, et bientôt ils y renoncèrent. Tous deux étaient heureux de rentrer chez eux.

La nuit tombait, la pluie ruisselait. Félix éprouvait le besoin de voir clair en lui-même, mais ses pensées restaient confuses. Il réfléchissait. Ici nous avons un homme gravement malade... Il était ces jours-ci à la montagne, car c'est là que se rendent les grands malades en été... Et voici son amie, elle l'a soigné fidèlement, et cela l'a fatiguée... Elle est si pâle, à moins que cela ne provienne de l'éclairage... Oui, la lampe là-haut est déjà allumée. Pourtant, dehors il ne fait pas tout à fait nuit... Voici l'automne... L'automne si triste et silencieux... Ce soir, nous retrouverons notre chambre viennoise... J'aurai l'impression de ne l'avoir jamais quittée... Ah, c'est une bonne chose que Marie dorme, je n'aimerais pas l'entendre parler... Y a-t-il des participants au concert dans le train ?... Je suis seulement fatigué, je ne suis pas du tout malade. Dans le train, il y en a de plus malades que moi... Quel bienfait que la solitude !... Comment est passée toute cette journée ?

Était-ce vraiment aujourd'hui que j'étais allongé sur un divan à Salzbourg ? C'est si loin... Oui, que savons-nous du temps et de l'espace ?... L'énigme du monde, nous la résolvons peut-être à notre mort... Et voilà qu'une mélodie chantait dans sa tête. Il savait que cela était dû seulement au roulement du train... Et pourtant c'était une mélodie... Un chant populaire... russe..., monotone..., très beau.

« Félix, Félix !

— Qu'y a-t-il ? » Marie, debout devant lui, caressait sa joue.

« Bien dormi, Félix ?

— Que se passe-t-il ?

— Dans un quart d'heure, nous serons à Vienne.

— Oh, pas possible !

— Ce fut un sommeil réparateur, il t'aura fait du bien. »

Elle rassembla les bagages, le train fonçait dans la nuit. De minute en minute, un sifflement aigu prolongé retentissait. Dehors, derrière les vitres, des lumières scintillaient, vite disparues. Le train traversait les gares de la banlieue de Vienne.

Félix s'assit. « D'être si longtemps resté allongé m'a éreinté. » Il s'installa dans le coin, regarda par la vitre. Il pouvait déjà distinguer au loin les rues éclairées de la ville. Le train ralentissait. Marie ouvrit la vitre et se pencha au-dehors. Le convoi pénétrait dans le hall de la gare. Marie agita la main. Puis elle se tourna vers Félix et dit : « Le voilà, le voilà !

— Qui ?

— Alfred !

— Alfred ? »

Elle faisait toujours signe de la main. Félix, qui s'était levé, regarda par-dessus son épaule. Alfred approchait rapidement de leur compartiment. Il tendit la main à Marie. « Bonjour ! Salut, Félix.

— Qu'est-ce qui t'amène ?

— Je lui ai télégraphié, dit Marie vivement, pour lui annoncer notre arrivée.

— Tu parles d'un ami, dit Alfred. La poste est une invention que tu sembles ignorer. Mais viens donc.

— J'ai tant dormi, dit Félix, que je suis encore tout abruti. »

Il souriait en descendant les marches du wagon, et chancelait un peu. Alfred prit son bras, et Marie lui offrit vite le sien de l'autre côté.

« Vous devez être vannés tous les deux, n'est-ce pas ?

— Je ne tiens plus debout, dit Marie, on sort tout courbaturé de cet abominable chemin de fer, hein, Félix ? »

Ils descendirent lentement les marches. Marie cherchait le regard d'Alfred, il évitait le sien. En bas, il appela une voiture. « Je suis heureux de t'avoir vu, mon cher Félix. Demain matin, je viendrai te voir pour bavarder plus longuement.

— Je suis complètement abruti », répéta Félix. Alfred voulut l'aider à pénétrer dans la voiture. « Oh, ça ne va pas si mal, oh non ! » Il monta et tendit la main à Marie. « Tu vois. » Marie le suivit. Par la vitre ouverte, elle prit congé d'Alfred. « Eh bien donc, à demain. » Il y avait dans son regard une telle frayeur qu'Alfred se força à sourire. « Oui, à demain, je prendrai le petit déjeuner avec vous. » La

68

voiture s'éloigna. Alfred resta un moment immobile, la mine soucieuse. « Mon pauvre ami », murmura-t-il.

Le lendemain matin, il vint de très bonne heure, et Marie l'accueillit à la porte. « Il faut que je vous parle, lui dit-elle.

— Laissez-moi plutôt le voir. Quand je l'aurai examiné, tout ce que nous aurons à nous dire aura plus de portée.

— Je vous demanderai une seule chose, Alfred. Quel que soit, à votre avis, son état, je vous en conjure, ne lui en dites rien.

— Qu'allez-vous penser là ! Et puis, ce ne sera pas si grave. Dort-il encore ?

— Non, il est réveillé.

— Comment s'est passée la nuit ?

— Il a dormi profondément jusqu'à quatre heures du matin. Ensuite, il s'est agité.

— Laissez-moi d'abord le voir seul. Il vous faut ramener un peu de sérénité sur cette petite figure blême. Vous ne devez pas aller le voir dans cet état. » Il lui serra la main en souriant, et pénétra seul dans la chambre.

Félix avait tiré la couverture jusqu'au-dessus de son menton, il salua son ami d'un signe de tête. Celui-ci s'assit sur le lit et dit : « Nous voilà heureux d'être rentrés chez nous. Tu t'es bigrement reposé, et j'espère que tu as abandonné ta mélancolie dans les montagnes.

— Oh oui ! répondit Félix sans broncher.

— Ne peux-tu pas te redresser un peu ? Quand je

viens de si bonne heure, c'est en qualité de médecin.

— Si tu veux », dit Félix d'un ton indifférent.

Alfred ausculta le malade, posa quelques questions qui n'obtinrent que de brèves réponses, et dit en conclusion : « Eh bien, pour le moment, on peut se déclarer satisfait.

— Cesse de raconter des histoires, répliqua Félix avec humeur.

— Et toi, cesse plutôt de dire des bêtises. Nous allons prendre le taureau par les cornes. Tu dois avoir la volonté de guérir, et ne pas jouer les victimes résignées. Ça ne te va pas du tout.

— Alors, que dois-je faire ?

— Avant tout, rester quelques jours au lit, compris ?

— Je n'ai d'ailleurs aucune envie de me lever.

— D'autant mieux. »

Félix s'anima. « Il y a seulement une chose que je voudrais savoir. Qu'est-ce qui m'est arrivé hier ? Sérieusement, Alfred, il faut que tu me l'expliques. L'impression de vivre un rêve confus. Le voyage en train, l'arrivée, comment je suis venu à la maison, me suis couché...

— Qu'y a-t-il à expliquer ? Tu n'es pas un athlète, ce sont des choses qui vous arrivent quand on est mort de fatigue.

— Non, Alfred, je n'ai jamais connu auparavant un épuisement semblable à celui ressenti hier. Aujourd'hui, je suis encore fatigué, mais j'ai retrouvé mes idées claires. Hier, ce ne fut pas si désagréable, mais le souvenir en est épouvantable. Quand je pense que cela pourrait m'arriver de nouveau !... »

A cet instant, Marie entra dans la chambre.

« Remercie Alfred, dit Félix, te voilà promue par lui garde-malade. A partir d'aujourd'hui je dois garder la chambre, et j'ai l'honneur de te présenter ici mon lit de mort. »

L'épouvante se peignit sur le visage de Marie.

« Ne vous laissez pas démoraliser par cet insensé. Il doit rester couché quelques jours, et vous aurez la bonté de le surveiller.

— Ah, Alfred, si tu pouvais te douter quel ange veille à mes côtés », dit Félix avec un enthousiasme ironique.

Alfred donna ensuite des prescriptions détaillées concernant les soins à prendre, les précautions à observer, et dit enfin : « Je t'annonce, mon cher Félix, qu'à partir de maintenant le médecin que je suis viendra te voir tous les deux jours. Davantage, ce n'est pas nécessaire. Les autres jours, nous ne parlerons pas de ton état ; je viendrai pour bavarder avec toi comme à l'accoutumée.

— Mon Dieu, cet homme, quel psychologue ! Mais réserve tes singeries pour les autres patients, surtout pour les plus frustes.

— Mon cher Félix, je te parle d'homme à homme. Écoute-moi bien. Tu es malade, c'est certain. Mais il est aussi certain qu'avec un traitement sérieux tu guériras. Je ne peux t'en dire ni plus ni moins. » Sur ces mots, il se leva.

Félix le suivit d'un regard soupçonneux. « On serait presque tenté de le croire.

— C'est ton affaire, mon cher Félix, répliqua brièvement le docteur.

— Eh bien, Alfred, tu viens de tout gâcher, dit le

malade. Ce ton brutal envers les grands malades, c'est un truc connu.

— A demain », dit Alfred en se dirigeant vers la porte. Marie le suivit et voulut l'accompagner jusqu'à la sortie. « Restez là », lui souffla-t-il d'un ton impératif. Elle ferma la porte derrière lui.

« Viens vers moi, ma petite », dit Félix, alors que Marie, arborant un sourire enjoué, s'installait à la table avec de la couture. « Oui, viens ici, tu es une brave, brave, très brave fille. » Il prononçait ces paroles tendres d'un ton âpre et dur.

Les jours suivants, Marie ne quitta pas son chevet, elle n'était que bonté et dévouement. Tout son être respirait une sérénité tranquille, naturelle, qui devait être salutaire au malade, et qui l'était en fait. Cependant, à certaines heures, le climat de bonne humeur paisible que Marie s'efforçait de créer autour de lui, quand elle commençait à commenter quelque nouvelle lue dans le journal, ou à parler de l'amélioration constatée dans son état, ou à envisager la façon dont ils organiseraient sous peu leur vie dès qu'il serait complètement rétabli, ce climat l'agaçait, et il l'interrompait, la priant de bien vouloir le laisser en paix et de lui faire grâce de ses discours. Alfred venait tous les jours, parfois à deux reprises, semblant à peine s'intéresser à l'état physique de son ami. Il parlait de relations communes, racontait des histoires de l'hôpital, entamait des discussions sur l'art ou la littérature, tout en veillant à ce que Félix ne soit pas forcé de trop parler. Tous les deux, son amante et son ami, paraissaient si détendus que Félix avait parfois de la peine à repousser les espérances audacieuses qui s'imposaient à lui. Il se disait que c'était évidemment le devoir des deux autres de lui jouer la comédie qu'on offre depuis toujours aux grands malades avec plus ou moins de succès. Et même lorsqu'il s'imaginait se prêter à leur jeu et y participer lui-même, il se surprenait, à plusieurs reprises, à parler du monde et des hommes comme si son destin était de passer encore de nombreuses années à la lumière du soleil parmi les vivants. Puis il se souvenait que ce curieux sentiment de bien-être chez les malades de son espèce signifiait souvent l'approche de la fin, et il rejetait alors loin de lui rageusement toute espérance. Il en arrivait à considérer de vagues impressions d'anxiété, des accès d'humeur noire comme des signes favorables, et était presque tenté de s'en réjouir. Puis il redécouvrait l'absurdité d'une telle logique, pour admettre finalement qu'il n'y avait en ce domaine aucune connaissance, aucune certitude. Il avait repris ses lectures, mais ne trouvait pas de plaisir aux romans, ils l'ennuyaient, et certains, en particulier ceux qui évoquaient à loisir une existence prospère et aventureuse, le rendaient de méchante humeur. Il se tournait vers les philosophes, se faisait apporter de la bibliothèque par Marie des livres de Schopenhauer et de Nietzsche. Mais les effluves apaisants qui émanaient de cette sagesse ne duraient que peu de temps.

Un soir, Alfred le trouva comme il laissait retomber sur sa couverture un volume de Schopenhauer et, l'air sombre, regardait dans le vague. Marie était assise à côté de lui avec un travail de couture.

« Je vais te dire quelque chose, Alfred », cria-t-il

au visiteur d'une voix presque tourmentée. « Je veux me remettre à lire des romans.

— Qu'y a-t-il donc ?

— Voilà au moins une affabulation honnête. Bonne ou mauvaise, œuvre d'artiste ou de bousilleur. Mais ces messieurs-là » — il désigna des yeux le volume posé sur la couverture — « sont de méprisables poseurs.

— Oh ! »

Félix se redressa dans son lit. « Mépriser la vie quand on jouit d'une santé du tonnerre, et regarder calmement la mort en face quand on voyage pour son plaisir en Italie et qu'autour de vous la vie resplendit de toutes ses couleurs, j'appelle cela tout simplement de la pose. Qu'on enferme ce monsieur dans une chambre, qu'on le condamne à la fièvre, à la suffocation, et qu'on lui dise : " Vous serez enterré entre le 1er janvier et le 1er février de l'année prochaine ", on verra alors quels discours philosophiques il vous tiendra...

— Allons ! dit Alfred, ce sont des paradoxes.

— Tu ne comprends pas cela. Tu ne peux pas comprendre. Cela me dégoûte au sens propre. Ce sont tous des poseurs.

— Et Socrate ?

— C'était un comédien. Un homme normal a peur de l'inconnu, cette peur on peut tout au plus la dissimuler. Je veux être totalement honnête. On fausse la psychologie des mourants parce que toutes les célébrités de ce monde dont on connaît la mort se sont senties obligées de jouer la comédie pour la postérité. Et moi ! Qu'est-ce que je fais ? Hein ? Quand je discute avec vous de tous les sujets possibles qui ne me concernent plus, qu'est-ce que je fais ?

— Allons, ne parle pas tant, surtout pour dire de telles bêtises.

— Moi aussi je me sens tenu de dissimuler tandis qu'en vérité j'éprouve une peur immense, ravageante, dont les êtres bien portants n'ont aucune idée, et cette peur les étreint tous, y compris les héros et les philosophes. La seule différence est qu'ils sont meilleurs comédiens.

— Calme-toi donc, Félix, supplia Marie.

— Vous deux croyez probablement, continua le malade, que vous pouvez regarder tranquillement l'éternité en face parce que vous n'en avez pas la moindre idée. Il faut être condamné comme un criminel, ou comme moi, pour pouvoir en parler. Le pauvre diable qui marche dignement, jusqu'au gibet, le sage éminent qui prononce des maximes après avoir vidé la coupe de ciguë, le héros de la liberté emprisonné qui regarde en souriant les fusils pointés sur sa poitrine sont tous des imposteurs, *moi*, je le sais, et leur maîtrise, leur sourire ne sont que pose, car ils ont tous peur, une peur épouvantable de la mort, phénomène aussi normal que celui de mourir. »

Alfred s'était assis calmement sur le lit, et lorsque Félix eut terminé, il répondit : « En tout cas, il n'est pas raisonnable de ta part de parler autant et de crier si fort. Deuxièmement, tu es aussi ridicule que possible, et un affreux hypocondriaque.

— Tu vas si bien maintenant, s'exclama Marie.

— Est-ce qu'elle le croit vraiment ? » demanda Félix, tourné vers Alfred. « Ne peux-tu l'informer une bonne fois pour toutes ?

— Cher ami, dit le docteur, c'est toi qui as besoin

d'une information. Mais, vu ton entêtement présent, je dois y renoncer. Dans deux ou trois jours, si dans l'intervalle tu t'abstiens de discourir, tu pourras te lever, et nous aurons alors un entretien sérieux sur ton état affectif.

— Dommage que je perce si bien à jour tes pensées, dit Félix.

— C'est bon, c'est bon », répliqua Alfred, puis tourné vers Marie : « Ne faites pas une figure si désolée. Ce monsieur aussi redeviendra raisonnable. Et maintenant, dites-moi pourquoi il n'y a pas de fenêtre ouverte ? Nous avons dehors une des plus belles journées d'automne qu'on puisse imaginer. »

Marie se leva et ouvrit la fenêtre. Le soir descendait, un air si rafraîchissant pénétra dans la pièce que Marie éprouva le besoin de se laisser caresser par lui plus longuement. Elle resta à la fenêtre, pencha la tête au-dehors. Tout à coup, il lui semblait avoir quitté la chambre. Elle se sentait seule et libre. Il y avait des jours qu'elle n'avait pas connu une sensation si agréable. Mais, quand elle se retourna vers l'intérieur, une bouffée d'air confiné, celui d'une chambre de malade, la suffoqua. Elle voyait Félix et Alfred bavarder sans pouvoir entendre distinctement les mots, mais n'éprouvait pas le besoin de participer à leur conversation. De nouveau, elle se pencha à la fenêtre. La rue était assez silencieuse et vide, on n'entendait qu'un faible roulement de voitures venant du boulevard proche. Quelques promeneurs cheminaient sans hâte sur le trottoir opposé. Devant un portail, des bonnes papotaient et riaient. Une jeune femme, dans l'immeuble en face, regardait comme Marie par la fenêtre. En ce moment, celle-ci ne pouvait comprendre pourquoi cette femme n'allait pas plutôt se promener. Marie enviait tous les gens, tous étaient plus heureux qu'elle.

Un temps de septembre douillet, agréable s'établit sur la contrée. Les soirées commençaient de bonne heure, mais restaient chaudes en l'absence de vent.

Marie avait pris l'habitude d'écarter sa chaise du lit du malade dès qu'elle le pouvait, et de s'asseoir près de la fenêtre ouverte. Elle y restait des heures entières, en particulier quand Félix sommeillait. Elle se sentait totalement détendue, incapable de se rendre compte clairement des circonstances, répugnant même à la réflexion. Il arrivait que, des heures durant, il n'existait pour elle ni souvenirs, ni projets d'avenir. Elle rêvassait les yeux ouverts, et il suffisait à son bonheur qu'un peu de vent venu de la rue souffle un air frais sur son front. Puis, quand un léger gémissement venait du lit du malade, elle sursautait. Elle s'apercevait que sa disposition à la compassion peu à peu faiblissait, sa pitié s'était changée en excitation nerveuse, sa douleur en un mélange d'anxiété et d'indifférence. Elle n'avait, c'était certain, rien à se reprocher, et quand le docteur dernièrement l'avait appelée, sans plaisanter, un ange, elle avait pu, à bon droit, n'en être qu'à peine gênée. Mais elle était fatiguée, terriblement fatiguée. Depuis dix ou douze jours, elle n'avait pas quitté la maison. Pourquoi donc ? Pourquoi ? Elle devait y réfléchir. Et ce fut soudain la révélation, elle restait pour ne pas contrarier Félix ! Bien sûr, elle aimait toujours être près de lui. Elle l'adorait toujours, pas moins qu'auparavant.

Seulement elle était fatiguée, et c'était bien humain. Son désir de passer quelques heures hors de la maison se fit soudain plus pressant. C'était puéril de se le refuser. Et lui devait comprendre. Elle réalisa à quel point elle devait l'aimer pour vouloir lui épargner l'ombre même d'une contrariété. Elle avait laissé glisser à terre son travail de couture, elle jeta un coup d'œil sur le lit déjà plongé entièrement dans l'ombre du mur. C'était le crépuscule, et le malade s'était endormi après une journée plus tranquille. Elle aurait pu sortir maintenant sans qu'il s'en aperçût. Ah, oui ! descendre, se retrouver au coin de la rue de nouveau parmi les gens, aller dans le parc, sur le Ring, passer devant l'Opéra illuminé, se mêler à la foule, cette foule qui lui manquait tant. Quand retrouverait-elle tout cela ? Elle le retrouverait quand Félix serait rétabli. Qu'étaient pour elle la rue, le parc, la foule ? Qu'était pour elle la vie sans lui !

Elle resta à la maison. Elle rapprocha sa chaise du lit et prit la main du malade qui sommeillait, et pleura silencieusement, douloureusement, et ses larmes continuèrent à couler et à tomber sur la main pâle de l'homme alors qu'en pensée elle s'était déjà depuis longtemps éloignée de lui.

Quand Alfred fit dans l'après-midi sa visite à Félix, il le trouva en meilleure forme que les jours précédents. « Si ça continue ainsi, lui dit-il, je te permettrai de te lever dans quelques jours. » Comme tout ce qu'on lui disait, le malade écouta ces paroles avec indifférence et répondit par un « oui, oui » excédé.

Alfred se retourna alors vers Marie, assise à la table, et lui dit : « Vous aussi, vous auriez besoin d'avoir meilleure mine. »

Sur ces mots, Félix observa Marie de plus près et fut frappé de sa pâleur extrême. Il s'était habitué à vite chasser de son esprit les pensées que lui inspirait parfois le dévouement généreux de son amie. Par moments ce sacrifice ne lui paraissait pas tout à fait authentique, et la mine patiente qu'elle montrait l'irritait. Il aurait souhaité à certaines heures la voir manifester de l'agacement. Il guettait le moment où d'un mot, d'un regard elle se trahirait, afin de pouvoir lui jeter au visage en termes injurieux qu'il n'avait pas été dupe une minute, que son hypocrisie l'écœurait, qu'elle le laisse mourir en paix.

Lorsque Alfred avait parlé de la mine de Marie, elle avait rougi un peu et souri. « Je me sens très bien », avait-elle dit.

Alfred s'approcha d'elle. « Non, ce n'est pas si simple. Votre Félix profitera peu de son rétablissement, si vous devez à votre tour tomber malade.

— Mais je me porte vraiment très bien.

— Dites-moi, n'allez-vous jamais prendre un peu l'air ?

— Je n'en éprouve pas le besoin.

— Dis-moi donc, Félix, elle ne quitte jamais ton chevet ?

— Tu le sais bien, Alfred, c'est un ange.

— Excusez-moi, Marie, mais c'est trop bête. Il est inutile et puéril de vous échiner de cette façon. Il vous faut sortir. Je vous affirme que c'est nécessaire.

— Mais que voulez-vous de moi ? dit Marie avec un pâle sourire. Je n'en ai nulle envie.

— Cela ne compte pas. C'est du reste un mauvais signe de ne pas en avoir envie. Vous allez sortir aujourd'hui même. Allez vous asseoir une heure dans le parc, ou, si cela ne vous dit rien, prenez une voiture, et faites-vous promener dans le Prater. L'atmosphère y est délicieuse en ce moment.

— Mais...

— Il n'y a pas de mais. Si vous continuez à vous comporter ainsi en créature angélique, vous ruinerez votre santé. Regardez-vous donc dans une glace, vous dépérissez. »

En entendant ces mots d'Alfred, Félix ressentit un coup douloureux au cœur. Une rage rentrée le consumait. Il croyait discerner dans les traits de Marie l'expression d'une résignation douloureuse qui suscitait la pitié, tandis que, dans son esprit, une vérité intangible se faisait jour : c'était le devoir de cette femme de souffrir avec lui, de mourir avec lui.

Elle ruinait sa santé ? Quoi de plus naturel. Avait-elle peut-être l'intention de garder ses joues roses et ses yeux brillants tandis qu'il approchait à grands pas de sa fin ? Alfred croyait-il vraiment que cette femme, son amante, avait le droit d'envisager l'avenir au-delà de sa dernière heure à lui ? Elle-même l'osait peut-être...

En proie à une colère farouche, Félix scrutait les mouvements du visage de Marie tandis que le docteur répétait inlassablement ses propos agaçants. Finalement Alfred obtint la promesse de Marie de sortir le jour même, en lui déclarant que l'accomplissement de cette promesse faisait partie de ses devoirs de garde-malade au même titre que tous les autres. « Parce que moi je ne compte plus, pensa Félix, parce qu'on abandonne à son sort celui qui de toute façon est perdu. » Quand Alfred partit, il lui tendit une main négligente. Il le haïssait.

Marie n'accompagna le docteur que jusqu'à la porte de la chambre et revint sans tarder auprès de Félix. Celui-ci restait allongé dans son lit, les lèvres serrées, un pli profond de colère barrait son front. Marie le comprenait, elle le comprenait si bien. Elle se pencha sur lui, et sourit. Il respirait fortement, voulait parler, voulait lui jeter au visage la pire des insultes. Il estimait qu'elle l'avait bien mérité. Mais elle, avec le même sourire patient, fatigué, lui caressa les cheveux, et murmura tout contre ses lèvres : « Je ne sortirai pas. »

Il ne répondit rien. Toute une longue soirée jusque tard dans la nuit elle resta assise à son chevet, et s'endormit finalement dans son fauteuil.

Quand Alfred revint le jour suivant, Marie s'efforça d'éviter de converser avec lui. Pourtant il ne semblait pas s'intéresser à sa mine et ne s'occupait que de Félix. Mais il ne parla plus de faire lever le malade, et celui-ci n'osa pas l'interroger. Il se sentait plus faible que les jours précédents. Il répugnait à parler comme jamais, et fut heureux lorsque le docteur l'eut quitté. Aux questions de Marie, il ne répondait que brièvement et de mauvais gré. Et comme en fin d'après-midi, après de longues heures de silence, elle lui avait demandé une fois encore : « Comment te sens-tu maintenant ? » il avait répondu : « Quel intérêt ? » Il avait croisé les bras au-dessus de sa tête, fermé les yeux, et s'était bientôt endormi. Marie demeura quelque temps auprès de lui à le contempler, puis ses pensées se brouillèrent et sombrèrent dans des rêves. Quand elle reprit ses esprits peu après, elle sentit un étrange bien-être parcourir ses membres, comme si elle sortait d'un sommeil profond, réparateur. Elle se leva, remonta les stores. On eût dit que du parc voisin un parfum de fleurs tardives s'était égaré dans l'étroite rue. Jamais l'air qui s'engouffrait maintenant dans la pièce ne lui avait paru plus délicieux. Elle se retourna vers Félix. Il dormait toujours, sa respiration était régulière. D'habitude, en de tels moments, l'émotion la clouait dans la chambre, engendrait dans tout son être une langueur accablante. Aujourd'hui elle resta calme, se réjouit de voir dormir Félix, et décida sans débat intérieur, aussi naturellement que si elle le faisait tous les jours, d'aller passer une heure au-dehors. Elle alla dans la cuisine sur la pointe des pieds, ordonna à la servante de se tenir dans la chambre du malade, prit rapidement chapeau et ombrelle, et descendit, non, vola au bas de l'escalier. Une fois dehors, elle gagna d'un pas rapide par des rues tranquilles le parc, heureuse de voir à ses côtés des buissons, des arbres, et au-dessus d'elle un ciel bleu sombre qui lui manquait depuis si longtemps. Elle s'assit sur un banc ; près d'elle sur d'autres bancs étaient installées des nurses, des bonnes. De jeunes enfants jouaient dans les allées. Comme le soir tombait, cette agitation touchait à sa fin. Les nurses rappelèrent les petits, les prirent par la main et quittèrent le parc. Bientôt Marie se retrouva presque seule, quelques personnes passaient encore, parfois un homme se retournait vers elle.

La voilà donc hors de la maison, libre. Où en était-elle au juste ? Le moment n'était-il pas venu d'embrasser d'un regard lucide la situation présente, de trouver pour exprimer ses pensées les mots précis qu'elle prononçait dans son for intérieur. Je suis auprès de lui parce que je l'aime. Pas question de sacrifice, je ne puis faire autrement. Quelle sera la suite ? Combien de temps cela durera-t-il encore ? Il n'y a pas d'espoir. Et après ? Quel après ? N'ai-je pas voulu un jour mourir avec lui ? Pourquoi sommes-nous devenus maintenant si étrangers l'un pour l'autre ? Il ne pense plus qu'à lui. *Souhaiterait-il* encore mourir avec moi ? Pour elle, à ce moment, la certitude s'imposa qu'il devait le souhaiter. Mais ce n'était plus la vision d'un être jeune et tendre qui voulait qu'elle repose auprès de lui pour l'éternité. Non, il lui semblait qu'il l'attirait de force avec lui dans la tombe par égoïsme, par envie, parce qu'elle lui appartenait.

Un jeune homme qui avait pris place près d'elle sur le banc fit une réflexion. Elle était si troublée qu'elle répondit : « Comment ? » Mais tout de suite après, elle se leva et s'éloigna rapidement. Les regards des promeneurs rencontrés dans le parc la gênaient. Elle sortit sur le Ring, fit signe à une voiture, et poursuivit ainsi sa promenade. Le soir était tombé. Confortablement installée dans un coin, elle prenait plaisir à la marche agréable et souple du véhicule, aux images changeantes qui défilaient devant elle, surgies de la pénombre et de l'éclat des becs de gaz. La belle soirée de septembre avait attiré la foule dans les rues. Passant devant le Volksgarten, elle entendit les accents martiaux d'une musique militaire, ce qui lui remit involontairement en mémoire la soirée de Salzbourg. Elle cherchait vainement à se persuader que toute cette vie environnante était quelque chose de dérisoire, de périssable, et qu'il importait peu de la quitter. Elle ne pouvait chasser de ses sens une impression d'euphorie qui commençait à l'envahir. Voilà qu'elle se sentait bien. Là, se dressait l'imposant théâtre avec ses globes étincelants ; ici, des promeneurs sortant du parc de l'hôtel de ville traversaient nonchalamment la rue ; plus loin, des consommateurs étaient assis à la terrasse d'un café ; penser qu'il existe des gens dont elle ignorait les soucis, qui peut-être n'en avaient pas, respirer cet air si doux, si tiède, pouvoir encore contempler de telles soirées en grand nombre, des centaines de nuits et de jours exquis, sentir bouillonner dans ses veines la santé et la joie de vivre, tout cela lui faisait du bien. Quoi ? Elle n'allait tout de même pas se reprocher de se consacrer pour ainsi dire une minute après d'innombrables heures de tension mortelle. Ne pouvait-elle à bon droit prendre conscience qu'elle existait ? Elle était bien portante, jeune ; soudain, de toutes parts, de mille sources, la joie de vivre la submergeait. Quelque chose d'aussi naturel que sa respiration ou le ciel au-dessus d'elle. Et elle en aurait honte ? Elle pensa à Félix. Si un miracle se produit et qu'il recouvre la santé, elle continuera certainement à vivre avec lui. Penser à lui est une souffrance, mais empreinte de douceur et de pardon. Il est bientôt temps d'aller le retrouver. Est-il vraiment content de l'avoir près de lui ? Sait-il apprécier sa tendresse ? Comme ses paroles sont rudes et son regard inquisiteur ! Et son baiser ! Elle ne peut s'empêcher de penser à ses lèvres maintenant si pâles, si sèches. Elle ne l'embrassera plus que sur le front. Son front est froid et moite. Qu'être malade est une chose affreuse !

Elle se renversa sur le siège. Elle détourna sciemment ses pensées du malade, et, pour ne pas être obligée de songer à lui, elle fixa son attention sur la rue, en observa chaque aspect en détail comme si elle devait tout conserver fidèlement en mémoire.

Félix ouvrit les yeux. Une bougie brûlait près de son lit et répandait une faible lueur. La vieille femme était assise à côté de lui, les mains sur ses genoux, indifférente. Elle sursauta quand le malade l'interpella : « Où est-elle ? » La femme expliqua que Marie était sortie, et qu'elle allait revenir tout de suite.

« Vous pouvez partir ! » répondit Félix. Et, comme celle-ci hésitait : « Partez, je vous dis ! Je n'ai pas besoin de vous. »

Il resta seul. Une angoisse d'une intensité jusqu'alors jamais ressentie le saisit. Où est-elle ? Où est-elle ? Il ne tenait plus en place dans son lit, mais n'osait pourtant pas se lever. Soudain, une pensée lui traversa l'esprit. Elle est partie pour de bon ! Elle veut le laisser seul, seul pour toujours. Elle ne supporte plus la vie auprès de lui. Elle a peur de lui. Elle a lu dans ses pensées. Peut-être a-t-il parlé dans son sommeil, et a dit tout haut ce qui reste toujours tapi dans les profondeurs de son être, même si lui-même n'en a pas, de jour, pleinement conscience. Et, justement, elle *ne veut pas* mourir avec lui. Dans sa tête les pensées se succédaient à une vitesse folle. C'était l'heure de la fièvre, comme tous les soirs. Depuis longtemps il ne lui avait pas dit un mot gentil, c'était peut-être simplement cela ! Il l'avait torturée par ses sautes d'humeur, ses regards soupçonneux, ses propos amers, alors qu'elle attendait de la reconnaissance ! Non, non, seulement de l'équité ! Oh, si elle était là ! Il a besoin d'elle ! Révélation combien douloureuse : il ne peut se passer d'elle. S'il le faut, il lui demandera pardon pour tout. Il lui fera de nouveau les yeux doux, trouvera pour elle des paroles si affectueuses. Pas un mot ne trahira sa souffrance. Il sourira quand un poids pèsera sur sa poitrine, il lui baisera la main quand il luttera contre la suffocation. Il lui racontera qu'il fait des rêves absurdes et que ce qu'elle l'entend dire dans son sommeil n'est que divagations dues à la fièvre. Il lui jurera qu'il l'adore, qu'il ne l'envie pas, qu'il lui souhaite même une vie longue et heureuse, qu'elle reste seulement près de lui jusqu'à la fin, qu'elle ne s'éloigne pas de son lit, elle ne doit pas le laisser mourir seul. Il verra venir cette heure épouvantable en sage, l'esprit en paix, s'il a la certitude qu'*elle* sera près de lui ! Et cette heure peut venir si vite, elle peut venir chaque jour. C'est pourquoi il faut qu'elle demeure toujours près de lui, car il a peur quand elle est absente.

Où est-elle ? Où est-elle ? Le sang lui montait à la tête, ses yeux se troublaient, sa respiration devenait plus difficile ; et personne auprès de lui. Ah, pourquoi avoir renvoyé cette femme ? C'était malgré tout une âme humaine. Maintenant il était abandonné, sans recours. Il se redressa, il se sentit plus fort qu'il l'eût cru si ce n'était la respiration, la respiration. Une torture épouvantable. Il n'y tint plus, sauta du lit et, à peine habillé, courut à la fenêtre. Là il y avait de l'air, de l'air. Il fit quelques profondes inspirations, quel soulagement ! Il s'enveloppa dans l'ample robe de chambre posée sur le bord du lit et s'affaissa sur une chaise. Pendant quelques secondes toutes ses pensées se brouillèrent, puis l'une se détacha, fulgurante, toujours la même. Où est-elle ? Où est-elle ? Ne l'avait-elle pas souvent abandonné ainsi pendant qu'il dormait ? Qui sait, où peut-elle bien aller ? Ne veut-elle que pour quelques heures échapper à l'atmosphère lourde d'une chambre de malade, ou veut-elle échapper *à lui* parce qu'il est malade ? Son voisinage lui est-il odieux ? Craint-elle l'ombre de la mort qui plane déjà ici ? Est-elle avide de vivre ? Cherche-t-elle la vie ? Ne représente-t-il plus la vie pour elle ? Que cherche-t-elle ? Que veut-elle ? Où est-elle ? Où est-elle ?

Les pensées tourbillonnantes se changèrent en syllabes murmurées puis en paroles plaintives. Il cria, hurla : « Où est-elle ? » Il se l'imaginait descendant d'un pas rapide l'escalier, le sourire de la délivrance sur les lèvres, puis s'en allant n'importe où, en un lieu qui ne connaissait ni maladie, ni dégoût, ni lente agonie, vers un domaine inconnu plein de parfums et de fleurs. Il la voyait s'effacer, s'enfoncer dans une brume légère qui la dissimulait, mais d'où résonnait son rire éclatant, un rire de bonheur, de joie. Et la brume se dissipait, et il la voyait qui dansait. Elle s'éloignait en tourbillonnant et disparaissait. Et soudain un roulement sourd se fit entendre, se rapprocha, s'arrêta. C'était le bruit d'une voiture maintenant en station devant le porche. Oui, certainement, il pouvait la voir. Quelqu'un en sortait, oui, c'était Marie, c'était elle ! Il devait aller à sa rencontre ; il se précipita dans l'antichambre, plongée dans la pénombre. Il ne parvenait pas à trouver la poignée de la porte. Une clé tourna dans la serrure, la porte s'ouvrit brusquement, Marie entra. Venant du couloir, la faible lumière ondoyante du gaz l'enveloppait. Elle se heurta à lui sans pouvoir le voir, et poussa un cri. Il la saisit par les épaules, la tira dans la pièce. Il ouvrit la bouche, mais ne put émettre un son.

« Qu'est-ce qui te prend ? s'exclama-t-elle, terrifiée. Es-tu devenu fou ? »

Elle se dégagea. Debout devant elle, il paraissait de plus en plus grand. Finalement, il retrouva la parole :

« D'où viens-tu, d'où ?

— Pour l'amour du ciel, Félix, reprends-toi ! Comment as-tu pu ? Je t'en prie, au moins, assieds-toi.

— D'où viens-tu ? » Il parlait d'une voix faible, l'air égaré. « D'où, d'où ? » murmura-t-il. Elle saisit ses mains, elles étaient brûlantes. Presque inconscient, il se laissa sans résistance conduire jusqu'au divan où elle le fit asseoir lentement dans un angle. Il regardait autour de lui comme pour retrouver peu à peu ses esprits. Puis il répéta, distinctement cette fois, mais de la même voix monotone : « D'où viens-tu ? »

Elle avait repris en partie son calme ; elle jeta son chapeau derrière elle sur une chaise, s'assit sur le divan près de lui, et lui dit d'un ton câlin : « Mon trésor, j'ai été prendre l'air une heure. Je craignais de tomber malade moi-même. Quel secours aurais-tu pu alors attendre de moi ? Je suis rentrée en voiture pour te retrouver bien vite. »

Complètement épuisé maintenant, il restait allongé dans l'angle du divan. Il la regardait de côté et ne répondait rien.

Elle continua tout en caressant tendrement ses joues brûlantes :

« Tu ne m'en veux pas, n'est-ce pas ? J'avais d'ailleurs chargé la servante de rester près de toi jusqu'à mon retour. Tu ne l'as pas vue ? Où est-elle donc ?

— Je l'ai renvoyée.

— Pourquoi donc, Félix ? Elle devait attendre jusqu'à ce que je revienne. Tu m'as tellement manqué ! Que me fait l'air frais du dehors si je ne t'ai pas avec moi ?

— Marion, Marion ! » Il posa la tête sur sa poitrine tel un enfant malade. Comme autrefois, les lèvres de Marie glissèrent sur ses cheveux. Il leva alors vers elle des yeux suppliants. « Marion, tu dois toujours rester près de moi, toujours, promis ?

— Oui », répondit-elle, et elle embrassa sa chevelure dépeignée, humide. Elle était si malheureuse, infiniment malheureuse ! Elle aurait aimé pleurer, mais son émotion avait quelque chose de desséché, de fané. Elle ne trouvait nulle part une consolation, même pas dans sa propre douleur. Et elle envia Félix lorsqu'elle vit des larmes couler sur ses joues.

A partir de cette date, elle passa à son chevet toutes les nuits et tous les jours suivants ; elle lui apportait ses repas, lui faisait boire ses remèdes, et, quand il était assez dispos pour le demander, elle lui lisait des passages du journal, parfois même un chapitre d'un quelconque roman. La matinée qui avait suivi sa promenade la pluie s'était mise à tomber, et un automne précoce arriva. Pendant des heures, des jours, presque sans arrêt, une pluie fine et grise ruisselait devant les fenêtres. Dans les derniers temps, Marie entendait parfois la nuit le malade délirer. Alors d'un geste machinal elle passait ses mains sur son front, ses cheveux, et murmurait : « Dors, Félix. Dors, Félix ! » comme on apaise un enfant agité. Il s'affaiblissait visiblement, mais ne souffrait pas beaucoup, et quand les courtes crises de suffocation, rappel violent de sa maladie, étaient passées, il sombrait le plus souvent dans un état d'apathie dont il n'avait plus lui-même conscience. Bien qu'il lui arrivât parfois de s'étonner un peu. « Pourquoi tout m'est-il si indifférent ? » Voir dehors la pluie tomber l'amenait à penser : « Ah, oui, c'est l'automne », sans chercher à approfondir le rapport. A vrai dire, il n'apercevait aucune possibilité de changement. Ni la fin, ni la guérison. Marie elle-même avait renoncé pendant ces journées à envisager une évolution quelconque. Les visites d'Alfred avaient pris, elles aussi, un aspect routinier. Pour ce dernier qui venait de l'extérieur, pour qui la vie continuait, l'image qu'offrait la chambre du malade se modifiait chaque jour. Il avait abandonné tout espoir. Il remarquait bien, et ceci était aussi valable pour Félix que pour Marie, qu'une période avait commencé que connaissent parfois les êtres qui ont subi les émotions les plus violentes, une période vide d'espoir et de crainte pendant laquelle, faute de perspectives d'avenir et de regards en arrière, le sentiment du temps présent devient imparfait et flou. Lui-même ne pénétrait jamais dans la chambre du malade sans un profond malaise, et était très soulagé quand il les retrouvait tous deux tels qu'il les avait quittés. Car il faudrait bien que l'heure arrive où ils seraient forcés de penser à ce qui les attendait.

Comme, une fois encore, il montait l'escalier, remâchant cette idée, il trouva Marie dans l'antichambre ; ses joues étaient blêmes, elle se tordait les mains. « Venez, venez ! » cria-t-elle. Il la suivit rapidement. Félix était assis tout droit dans son lit. A leur arrivée il les gratifia d'un regard mauvais et s'exclama : « Qu'est-ce que vous mijotez tous les deux ? »

Alfred s'était vite approché du lit. « Qu'est-ce qui ne va pas, Félix ? demanda-t-il.

— Je voudrais savoir ce que tu comptes faire de moi.

— En voilà une question puérile !

— Vous me laissez périr, périr misérablement », cria Félix d'une voix qui s'étranglait presque.

Alfred vint tout près de lui et voulut lui saisir la main. Mais le malade retira vivement la sienne. « Laisse-moi, et toi, Marie, cesse de te tordre les mains. Je voudrais savoir ce que vous mijotez, savoir comment cela va continuer.

— La suite serait bien meilleure, dit Alfred calmement, si tu ne t'énervais pas inutilement.

— Enfin, je suis couché depuis je ne sais combien de temps, et vous, vous me regardez, et me laissez

91

dans mon lit. Qu'as-tu l'intention de faire ?» Il se tourna tout d'un coup vers le docteur.

« Ne dis pas de bêtises.

— On n'entreprend rien, absolument rien. Un mal s'abat sur moi, et personne ne lève la main pour l'écarter.

— Félix », commença Alfred d'une voix persuasive en s'asseyant sur le lit et en cherchant à reprendre sa main.

« Tu me juges perdu, hein ! Tu me laisses au lit et m'ordonnes de la morphine.

— Il te faut patienter encore quelques jours...

— Mais tu vois bien que ça ne sert à rien ! Je me rends parfaitement compte de mon état ! Pourquoi me laissez-vous périr ainsi sans recours ? Vous le voyez bien que je crève. Je n'en peux plus ! Il doit bien y avoir un remède, quelque traitement. Réfléchis donc, Alfred, tu es un médecin, c'est ton devoir.

— Bien sûr, il y a des remèdes, dit Alfred.

— Et si ce n'est pas un remède, un miracle peut-être. Mais ici il ne se produira pas de miracle. Il faut que je parte. Je veux partir.

— Tu quitteras le lit dès que tu auras repris des forces.

— Mais, Alfred, je te le dis, ce sera trop tard. Pourquoi dois-je rester dans cette chambre épouvantable ? Je veux m'en aller, quitter la ville. Je sais ce qu'il me faut. Il me faut le printemps, une contrée du Midi. Quand le soleil brillera, je retrouverai la santé.

— Mais tout cela est très raisonnable, dit Alfred. Certainement tu iras dans le Sud, mais un peu de patience. Aujourd'hui, tu n'es pas en état de voyager, demain non plus. Par contre, dès que ce sera possible...

— Je peux partir aujourd'hui, je le sens. Une fois sorti de cette effroyable chambre mortuaire, je serai un autre homme. Chaque jour de plus que tu me gardes ici représente un danger.

— Mon cher ami, tu dois considérer que moi, en tant que médecin...

— Tu es un médecin, et tu juges selon les critères traditionnels. Les malades sont les mieux placés pour savoir ce qu'il leur faut. Me faire garder la chambre et m'y laisser dépérir est ridicule, déraisonnable. Un climat plus chaud peut accomplir des miracles. On ne se croise pas les bras tant qu'il y a une ombre d'espoir, et un espoir demeure. Il est inhumain d'abandonner quelqu'un à son sort, comme vous le faites à mon égard. Je veux partir pour le Sud, retrouver le printemps.

— Bon, tu le retrouveras », dit Alfred.

Marie intervint rapidement : « Nous pourrions nous en aller dès demain, n'est-ce pas ?

— Si Félix me promet de rester trois jours tranquille, je le laisse partir. Mais aujourd'hui, maintenant, ce serait un crime. Je ne puis l'autoriser sous aucune condition. Regardez-moi donc ce temps » — il se tournait vers Marie — « la pluie, la tempête, je ne conseillerais pas à la personne la mieux portante de voyager aujourd'hui.

— Disons demain, déclara Félix.

— Si le temps s'améliore un peu dans un ou deux jours. Tu as ma parole. »

93

Le malade lui jeta un regard scrutateur. Puis il demanda : « Ta parole d'honneur ?

— Oui.

— Eh bien, tu l'entends », dit Marie.

Le malade se tourna vers Alfred. « Penses-tu qu'il n'y a pas pour moi d'espoir de guérison ? As-tu voulu me laisser mourir chez moi ? Voilà de la charité mal comprise. Qu'importe le lieu où l'on se meurt ? On est chez soi là où est la vie. Et je ne veux pas, je ne veux pas mourir sans lutter.

— Mon cher Félix, tu sais fort bien que j'ai l'intention de te faire passer l'hiver dans le Sud. Mais je ne peux pourtant pas te laisser partir par un temps pareil.

— Marie, dit le malade, prépare tout ! » Inquiète, celle-ci interrogea des yeux le docteur.

« Pourquoi pas, cela ne peut pas nuire, dit Alfred.

— Prépare tout. Je vais me lever dans une heure. Nous partirons dès le premier rayon de soleil. »

Félix se leva dans l'après-midi. Il semblait presque que la perspective d'un changement de lieu exerçait sur lui une influence bénéfique. Il resta tout le temps éveillé, allongé sur le divan, sans se laisser aller à des accès de désespoir, ni retomber dans une morne apathie comme les jours précédents. Il s'intéressait aux préparatifs de Marie, donnait des conseils, des instructions, désignait dans la bibliothèque les livres qu'il voulait emporter. Il sortit lui-même de son secrétaire toute une pile de documents qu'il fallait emballer. « Je veux revoir mes anciens travaux », dit-il à Marie, et plus tard, comme celle-ci s'évertuait à placer ces écrits dans la malle, il revint sur le sujet :

« Qui sait si cette période de repos n'aura pas été profitable à ma réflexion ? Je me sens vraiment mûrir. A certaines heures, une clarté étrange se répand sur tout ce que j'ai pensé jusqu'ici. »

Dès le lendemain, pluie et vent se dissipèrent, et le beau temps revint. Au cours de la journée suivante la température se réchauffa, et l'on put ouvrir les fenêtres. L'éclat d'un après-midi d'automne doux, agréable, pénétra dans la pièce, et quand Marie s'agenouilla devant la malle, les rayons du soleil jouèrent dans les boucles de sa chevelure.

Alfred arriva au moment où Marie emballait soigneusement les papiers, alors que Félix, toujours allongé sur le divan, commençait à exposer ses projets.

« Je devrais te permettre déjà cela ? interrogea Alfred en souriant. J'espère que tu seras assez soucieux de ta santé pour ne pas te mettre trop tôt au travail.

— Oh, pour moi ce ne sera pas un travail. Tous les cheminements jusqu'alors obscurs de ma pensée m'apparaissent sous de multiples éclairages nouveaux.

— Voilà qui est fort bien », dit Alfred d'un ton appuyé, tout en observant le malade dont le regard se perdait dans la vague.

« Ne te méprends pas sur mes paroles, dit Félix. A vrai dire, je n'ai aucune idée précise, mais la sensation que quelque chose se prépare.

— Tiens, tiens !

— Vois-tu, je crois entendre s'accorder les instruments d'un orchestre. Ce qui, dans la réalité, m'a toujours produit une forte impression. Savoir que dans quelques moments tous les instruments retentiront à l'unisson, et que de parfaites harmonies s'élèveront... » Puis, changeant brusquement de sujet : « As-tu retenu les places ?

— Oui, répondit le docteur.

— Alors, demain matin », s'écria gaiement Marie. Elle n'arrêtait pas de s'affairer, allait de la commode à la malle, de là à la bibliothèque, puis revenait à la malle, disposait, emballait. Alfred se sentait bizarrement ému. Était-il chez des jeunes gens préparant dans la joie un voyage d'agrément ? Il régnait aujourd'hui dans cette pièce une ambiance si optimiste, presque exempte de tout souci. Lorsqu'il prit congé, Marie sortit avec lui de la pièce.

« Mon Dieu ! s'écria-t-elle, quelle bonne idée ce voyage ! J'en suis si heureuse. Maintenant qu'elle se réalise, Félix est vraiment transformé. »

Alfred ne savait que répondre. Il lui tendit la main, se tourna pour partir, puis fit de nouveau face à Marie : « Vous devez me promettre...

— Quoi donc ?

— Je veux dire que l'ami compte plus que le médecin. Vous savez que je serai toujours à votre disposition. Vous n'aurez qu'à me télégraphier. »

Marie resta sidérée. « Vous pensez que cela pourrait être nécessaire ?

— Je le dis seulement à tout hasard. »

Songeuse, elle demeura immobile un instant, puis rentra rapidement dans la pièce, craignant que Félix ait pu s'inquiéter de son absence de plusieurs minutes. Mais ce dernier semblait n'avoir attendu son retour que pour reprendre le fil de ses déclarations.

« Vois-tu, Marie, le soleil a toujours une bonne influence sur moi. Si le froid augmente, nous irons encore plus au sud, sur la Riviera, et plus tard — qu'en penses-tu ? — en Afrique ? Oui ? A l'équateur, je réussirai mon chef-d'œuvre, c'est sûr. »

Il continuait ainsi à discourir. Marie finit par s'approcher de lui, caressa son front, et déclara dans un sourire : « C'est assez. Ne soyons pas de nouveau écervelés. Tu dois retourner au lit, car demain il faudra se lever tôt. » Elle vit que ses joues s'étaient empourprées et que ses yeux brillaient, et, comme elle saisissait ses mains pour l'aider à se lever du divan, elle constata qu'elles étaient brûlantes.

Félix s'éveilla dès les premières lueurs du matin, joyeux, tout excité comme un enfant qui s'en va en vacances. Deux heures avant le départ pour la gare, il attendait déjà, assis sur le divan. Marie, elle aussi, avait terminé depuis longtemps ses préparatifs. Elle avait jeté sur ses épaules son manteau de voyage gris, coiffé son chapeau à la voilette bleue, et se tenait à la fenêtre pour apercevoir à temps la voiture commandée. Toutes les cinq minutes Félix lui demandait si elle était déjà arrivée. Il s'impatientait. Il proposait d'en envoyer chercher une autre, lorsque Marie s'écria : « La voilà, la voilà ! »

« Dis donc, ajouta-t-elle aussitôt, Alfred est là aussi. »

Alfred était apparu au coin de la rue en même temps que la voiture, et il leur adressa d'en bas un salut amical. Peu après, il pénétrait dans la pièce. « Vous êtes déjà fin prêts ! s'exclama-t-il. Que ferez-vous à la gare de si bonne heure, d'autant plus que vous avez déjà pris le petit déjeuner, à ce que je vois ?

— Félix est si impatient », dit Marie. Alfred s'avança vers lui, et le malade lui sourit, radieux. « Un temps magnifique pour voyager, n'est-ce pas ?

— Oui, vous aurez une journée splendide », approuva le docteur. Il saisit une biscotte sur la table. « Vous permettez ?

— N'auriez-vous encore rien pris ? s'écria Marie, toute surprise.

— Si, si. J'ai bu un verre de cognac.

— Attendez, il y a encore du café dans la verseuse. » Elle n'eut de cesse qu'elle lui eût donné une tasse avec le reste du café, puis elle passa dans l'antichambre pour faire quelques recommandations à la servante. Alfred garda longtemps la tasse à ses lèvres. Il lui était pénible de rester seul avec son ami, il n'aurait pas pu lui parler. Marie rentra, et annonça que plus rien n'empêchait de partir. Félix se leva et fut le premier à la porte. Il portait une houppelande grise, un chapeau mou de couleur foncée, et tenait à la main une canne. Il voulut aussi descendre le premier l'escalier. Mais à peine avait-il posé la main sur la rampe qu'il commença à chanceler. Alfred et Marie se précipitèrent pour le soutenir. « La tête me tourne un peu », dit-il. « C'est tout à fait normal, assura Alfred, quand on quitte le lit pour la première fois après tant de semaines. » Il prit son ami par un bras, Marie s'empara de l'autre, et ils le conduisirent ainsi jusqu'en bas. Le cocher souleva son chapeau quand il vit le malade.

Aux fenêtres d'en face quelques visages féminins, pleins de compassion, apparurent. Et, comme Alfred et Marie aidaient Félix, pâle comme un mort, à monter dans la voiture, le portier s'approcha en hâte pour proposer son aide. Lorsque la voiture s'en alla, il échangea avec les voisines compatissantes restées aux fenêtres des regards de connivence apitoyés.

Debout sur le marchepied du wagon, Alfred bavarda avec Marie jusqu'au dernier coup de cloche. Félix s'était assis dans un coin, l'air indifférent. Ce n'est que lorsque retentit le sifflet de la locomotive qu'il parut revenir à son entourage, et qu'il prit congé de son ami d'un signe de tête. Le train se mit en mouvement. Alfred demeura encore un moment sur le quai, suivit le convoi des yeux. Puis il se détourna lentement et partit.

A peine le train avait-il quitté le hall de la gare que Marie s'assit tout près de Félix et lui demanda ce qu'il souhaitait. Devait-elle ouvrir le flacon de cognac, lui tendre un livre, ou lui faire la lecture du journal ? On voyait qu'il était sensible à tant de prévenance, et il prit sa main, la serra.

Ensuite, il lui demanda : « Quand serons-nous à Meran ? » Comme elle ne connaissait pas l'heure exacte d'arrivée, il la pria de lui lire dans l'indicateur des chemins de fer tous les renseignements importants. Il voulait savoir où se trouvait l'arrêt-buffet, à quel endroit la nuit commençait ; il s'intéressait à une foule de détails qui d'habitude lui étaient parfaitement indifférents. Il chercha à calculer combien de voyageurs pouvaient se trouver dans le train, se demanda s'il y avait d'autres jeunes couples. Au bout d'un certain temps, il réclama du cognac, mais celui-ci provoqua un accès de toux si violent qu'il enjoignit à Marie avec colère de ne plus lui en donner sous aucun prétexte, même s'il lui arrivait d'en réclamer. Plus tard, il se fit lire le bulletin météorologique du journal et hocha la tête, satisfait, à l'annonce des prévisions favorables. Ils franchirent le Semmering. Il observait attentivement collines, forêts, prairies, montagnes, mais ses remarques se bornaient à un discret « charmant, très beau » dépourvu de toute nuance joyeuse. A midi, il toucha à peine au repas froid qu'ils avaient prévu, et il se fâcha quand Marie lui refusa un cognac. Elle dut se décider à lui en donner. Il le supporta très bien, et commença à manifester de l'intérêt pour toutes sortes de choses. Bientôt il cessa de parler de ce qui défilait devant les fenêtres du wagon, de ce qu'il voyait dans les gares, pour en revenir à sa propre personne. « J'ai lu des histoires de somnambules qui avaient découvert en rêve un remède auquel aucun médecin n'avait songé, et dont l'emploi les avait guéris. Je dis que le malade doit suivre son inspiration.

— Certainement, répondit Marie.

— Le Sud ! L'air du Sud ! Ils pensent que toute la différence réside en ceci qu'il y fait chaud, et qu'on y trouve des fleurs toute l'année, et peut-être plus d'ozone, pas de tempêtes et pas de neiges. Qui sait ce que cet air renferme encore ? Des éléments mystérieux que nous ne connaissons pas.

— Sûrement, tu guériras là-bas », dit Marie. Elle prit la main du malade et la porta à ses lèvres.

Il parla encore des nombreux peintres que l'on

rencontrait en Italie, de la nostalgie qui avait attiré tant d'artistes et de rois à Rome, de Venise où il était allé bien avant de connaître Marie. Il finit par se fatiguer, et il désira s'allonger sur les sièges du compartiment. Il y resta, plongé la plupart du temps dans un léger sommeil, jusqu'à la tombée du jour.

Assise en face de lui, elle l'observait. Elle avait retrouvé son calme, seul subsistait un faible regret. Il était si pâle, il avait tellement vieilli ! Comme ce beau visage s'était transformé depuis le printemps ! C'était une autre pâleur que celle de ses propres joues. La sienne les rendait plus jeunes, presque virginales. Comme son sort à elle valait mieux que le sien ! Jamais cette pensée ne lui était venue avec une telle acuité. Pourquoi cette douleur n'est-elle pas plus poignante ? Pas par manque d'intérêt, c'est sûr, mais tout simplement par suite d'une immense fatigue qui depuis des jours ne la quitte pas, même si, par moments, elle croit se sentir plus vaillante. Une fatigue bienheureuse, car elle redoute les douleurs qui viendront lorsqu'elle cessera d'être fatiguée.

Un sursaut de frayeur tira Marie du sommeil dans lequel elle était plongée. Elle regarda autour d'elle, il faisait presque complètement noir. Un voile recouvrait la lampe qui brûlait là-haut et ne répandait dans le compartiment qu'une faible lueur verdâtre. Et dehors, devant les vitres, la nuit, la nuit ! L'impression de rouler dans un long tunnel. Pourquoi ce réveil brutal, ce réveil affreux ? Le silence était presque total, à part le grincement uniforme des roues. Petit à petit elle s'habitua au faible éclairage, et parvint de nouveau à distinguer les traits du malade. Il semblait dormir très calmement, reposait immobile. Soudain il poussa un profond soupir suivi d'une plainte inquiétante. Le cœur de Marie se mit à battre plus fort. Il avait certainement déjà gémi auparavant, et c'est ce qui avait dû la réveiller. Mais que se passait-il ? Elle l'examina de plus près. Non, il ne dormait pas. Il gisait les yeux tout grands ouverts, elle pouvait le voir nettement maintenant. Ces yeux qui fixaient le vide, le lointain, l'obscurité l'effrayaient. Il gémit de nouveau, une plainte encore plus pitoyable que la précédente. Il s'agita, poussa encore un soupir, cette fois non de douleur, mais plutôt de fureur. Brusquement il s'était redressé, s'appuyant des deux mains sur les coussins. A coups de pied il avait projeté à terre le manteau gris qui le recouvrait, et il s'efforçait de se lever. Mais le mouvement du train l'en empêchait, et il retomba dans son coin. Marie avait bondi et voulut enlever le voile vert de la lampe. Elle se sentit soudain prise dans ses bras, il l'attira sur ses genoux, toute tremblante. « Marie, Marie », dit-il d'une voix altérée. Elle tenta de se dégager, mais n'y parvint pas. Il semblait avoir retrouvé toutes ses forces, il la pressait furieusement contre lui. « Es-tu prête, Marie ? » murmura-t-il, collant ses lèvres contre son cou. Elle ne comprenait pas, mais était en proie à une terreur panique. Incapable de se défendre, elle voulut crier. « Es-tu prête ? » répéta-t-il en la serrant un peu moins fort. Ses lèvres, son souffle, sa voix s'éloignèrent alors légèrement, et elle put respirer plus librement.

« Que veux-tu ? demanda-t-elle, apeurée.

— Tu ne comprends pas ?

— Laisse-moi, laisse-moi ! » cria-t-elle, mais sa voix se perdit dans le roulement du train.

Il paraissait absent, ses mains retombèrent, elle se redressa et s'assit en face de lui.

« Tu ne me comprends pas ? demanda-t-il encore.

— Que veux-tu ? murmura-t-elle de son coin.

— Je veux une réponse. »

Elle se taisait, elle tremblait, elle appelait de ses vœux le jour.

« L'heure approche », dit-il plus bas en se penchant vers elle, si bien qu'elle put percevoir plus distinctement ses paroles. « Je te demande si tu es prête ?

— De quelle heure parles-tu ?

— De la nôtre, de la nôtre ! »

Elle le comprit. La peur lui noua la gorge.

« Te souviens-tu, Marie ? » continua-t-il, et sa voix devint plus douce, presque implorante. Il prit ses deux mains dans les siennes. « Tu m'as donné le droit de poser cette question, murmura-t-il. Te souviens-tu ? »

Elle avait recouvré un peu son sang-froid, car même s'il prononçait des paroles effrayantes, ses yeux avaient perdu leur expression figée, et sa voix, l'accent menaçant. Il parlait comme un suppliant. Au bord des larmes, il demanda une nouvelle fois : « Te souviens-tu ? » Elle eut alors la force de répondre, les lèvres encore frémissantes : « Félix, tu es un enfant. »

Il ne semblait pas l'entendre. D'une voix égale,

comme si des faits à demi oubliés lui revenaient en mémoire avec une précision nouvelle, il continua : « La fin arrive, il nous faut partir. Marie, notre temps est écoulé ! » Bien qu'à peine audibles, il émanait de ces paroles une force envoûtante, précise, implacable. Il aurait été préférable qu'il menace, elle aurait pu mieux se défendre. L'espace d'un instant, comme il se rapprochait encore, elle s'affola, croyant qu'il allait se jeter sur elle et l'étrangler. Elle envisageait déjà de se réfugier à l'autre extrémité du compartiment, de briser la vitre et d'appeler au secours. Mais, au même moment, il lâcha ses mains et s'adossa à sa place comme s'il n'avait plus rien à dire. Ce fut elle qui parla :

« Que nous contes-tu là, Félix ? Aujourd'hui où nous partons vers le Sud, là où tu dois guérir complètement ? » Il restait appuyé en face d'elle, comme perdu dans ses pensées. Elle se leva, d'un geste brusque elle ôta de la lampe le voile vert. Quel soulagement ! La lumière revenue d'un seul coup. La cadence de son cœur se ralentit et sa peur disparut. Elle se rassit dans son coin. Félix cessa de fixer le sol et releva les yeux vers elle. Il dit lentement : « Marie, je ne me laisserai pas leurrer par la lumière du matin, ni par le Sud. Aujourd'hui, je sais. »

« Pourquoi parle-t-il maintenant si posément ? pensa Marie. Veut-il endormir ma méfiance ? Craint-il que j'essaie de sauver ma vie ? » Elle résolut de rester sur ses gardes. Elle l'observait continuellement, écoutait à peine ses propos, suivait le moindre de ses mouvements, de ses regards. Il dit :

« Tu es naturellement libre, même ton serment ne te lie pas. Est-ce que je peux te forcer ? Tu ne veux

104

pas me tendre la main ? » Elle la lui donna, mais en la gardant sur celle de Félix.

« Si le jour pouvait être là, murmura-t-il.

— Écoute-moi, Félix, essaie donc de dormir un peu ! C'est bientôt le matin, dans quelques heures nous serons à Meran.

— Je ne veux plus dormir », répondit-il en relevant la tête. A ce moment, leurs regards se rencontrèrent. Il remarqua l'expression de méfiance, d'attention, aux aguets dans celui de Marie. A l'instant même il crut tout comprendre. Elle voulait qu'il s'endorme pour pouvoir descendre, à son insu, à la prochaine gare, et s'enfuir. « Qu'est-ce que tu trames ? » hurla-t-il.

Elle sursauta. « Rien. »

Il essaya de se lever. A peine l'eut-elle remarqué qu'elle se réfugia dans l'autre coin du compartiment, loin de lui.

« De l'air, cria-t-il, de l'air ! » Il ouvrit la fenêtre, passa sa tête au-dehors dans l'air nocturne. Marie se rassura, ce n'était qu'une crise d'étouffement qui l'avait fait se lever brusquement. Elle revint vers lui, l'écarta doucement de la fenêtre. « Ce n'est pas bon pour toi », dit-elle. Il retomba dans son coin ; il respirait difficilement. Elle resta un moment devant lui, la main appuyée sur le rebord de la fenêtre, puis elle se rassit en face de lui. Au bout d'un certain temps la respiration de Félix devint plus calme, un léger sourire passa sur ses lèvres. Embarrassée, inquiète, elle le regardait. « Je vais fermer la fenêtre », dit-elle. Il approuva de la tête. « Le matin ! C'est le matin ! » s'écria-t-il. A l'horizon, des traînées d'un gris rougeâtre apparaissaient. Ils restèrent alors longtemps face à face en silence. Ce fut lui qui le rompit tandis que le même sourire jouait sur ses lèvres : « Tu n'es pas prête ! » Elle aurait voulu répliquer comme d'habitude qu'il était un enfant ou quelque chose de ce genre. Elle ne le put. Ce sourire interdisait toute réponse.

Le train ralentit. Après quelques minutes, il pénétra dans la gare où le petit déjeuner était prévu. Sur le quai, des serveurs allaient et venaient, portant du café et des pâtisseries. De nombreux voyageurs quittèrent le wagon, il y eut du bruit, des appels. Marie avait l'impression de sortir d'un cauchemar. La banalité de cette agitation la réconfortait. Se sentant parfaitement en sûreté, elle se leva, jeta un regard sur le quai. Finalement elle fit signe à un serveur qui lui tendit une tasse de café. Félix la regarda le déguster, cependant il secoua la tête quand elle voulut lui en offrir. Bientôt le train se remit en marche, et lorsqu'ils quittèrent le hall de la gare, il faisait déjà grand jour, et c'était le beau temps ! Voilà que surgissaient des montagnes baignées des couleurs roses de l'aurore. Marie résolut de ne plus jamais avoir peur la nuit. Félix regardait de temps en temps par la fenêtre, il paraissait vouloir éviter son regard. Elle pensa qu'il avait un peu honte des événements de la nuit. Le train s'arrêta plusieurs fois à de courts intervalles, il pénétra dans la gare de Meran par une matinée magnifique d'une chaleur estivale. « Nous y voilà, s'exclama Marie, enfin, enfin ! »

Ils avaient loué une voiture et circulèrent par la ville à la recherche d'un logement convenable. « Pas

besoin d'économiser, dit Félix, mes ressources dure-
ront bien encore jusque-là. » Ils firent arrêter le
cocher devant différentes villas, et, tandis que Félix
restait dans la voiture, Marie faisait la visite des piè-
ces et du jardin. Ils eurent bientôt trouvé un logis
satisfaisant. Une petite maison avec un demi-étage
et un jardinet. Marie demanda à la logeuse de
l'accompagner à la voiture pour exposer au jeune
passager les différents avantages de la villa. Félix se
déclara d'accord à tous points de vue, et quelques
minutes plus tard le couple s'installait.

Tandis que Marie se livrait à une inspection minu-
tieuse des lieux, Félix, qui s'en désintéressait, se
retira dans la chambre à coucher. Un court examen
lui révéla une pièce spacieuse, agréable, tapissée
d'une couleur claire tirant sur le vert, avec une
grande fenêtre, ouverte à cette heure, si bien que
le parfum du jardin l'embaumait tout entière. Les
lits étaient disposés en face de la fenêtre. Félix
était si épuisé qu'il se jeta de tout son long sur l'un
d'eux.

Pendant ce temps, Marie poursuivait la visite avec
la logeuse, et appréciait particulièrement le jardinet
entouré d'une haute grille dans lequel on pouvait
pénétrer par une porte située à l'arrière sans entrer
dans la maison. De ce côté passait un chemin qui
conduisait directement à la gare, un trajet plus court
que celui par la grande route devant la façade.

Quand Marie revint dans la chambre où elle avait
laissé Félix, elle le trouva étendu sur le lit. Elle
l'appela, il ne répondit pas. Elle s'approcha, il était
encore plus pâle que de coutume. Elle appela de nouveau ; pas de réponse ; il ne bougeait pas. Prise d'une

frayeur épouvantable, elle héla la logeuse, lui demanda d'aller chercher un docteur. La femme à peine partie, Félix ouvrit les yeux. Mais, au moment même où il voulut dire quelque chose, il se redressa, la face ravagée par l'angoisse, et retomba sur le lit dans un râle. Un peu de sang coulait sur ses lèvres. Marie se pencha sur lui, désemparée, désespérée ; après avoir couru à la porte pour voir si le médecin arrivait, elle revint affolée auprès du malade en criant son nom. « Si seulement Alfred était là ! » pensa-t-elle.

Enfin le docteur arriva, un homme d'un certain âge avec des favoris gris. A sa vue, Marie s'écria : « Faites quelque chose, faites quelque chose ! » Puis elle lui donna des explications aussi précises que son trouble le lui permettait. Le médecin observa le malade, lui tâta le pouls, dit qu'il ne pouvait l'examiner aussitôt après l'hémorragie, et prescrivit des mesures d'urgence. Marie l'accompagna hors de la chambre et lui demanda à quoi elle pouvait s'attendre. « Je ne peux rien dire, répondit le docteur, un peu de patience, nous gardons espoir. » Il promit de revenir le soir même et de sa voiture salua Marie, restée dans la maison, d'une manière aussi aimable et dégagée que s'il lui avait rendu une visite de politesse.

Marie resta sur place, désemparée une seconde, mais dans la suivante une idée lui vint qui sembla lui promettre le salut. Elle courut jusqu'au bureau de poste pour envoyer un télégramme à Alfred. Après l'avoir expédié, elle se sentit soulagée. Elle remercia la logeuse qui s'était occupée du malade en son absence, s'excusa auprès d'elle du tracas qu'elle lui causait dès la première journée, et promit qu'on saurait se montrer reconnaissant. Félix était toujours étendu sur le lit tout habillé, sans connaissance, sa respiration était redevenue régulière. Tandis que Marie s'asseyait à la tête du lit, la logeuse la réconforta, elle lui parla des nombreux grands malades qui avaient guéri à Meran, lui confia qu'elle-même s'était mal portée dans sa jeunesse et que — comme on pouvait voir — elle s'était merveilleusement rétablie. Et pourtant que de malheurs elle avait connus ! Son mari mort dans la deuxième année de leur mariage, ses fils partis au loin — oui, tout aurait pu se passer autrement —, cependant elle était bien heureuse d'avoir ici cette place. On pouvait d'autant moins se plaindre du propriétaire qu'il venait tout au plus deux fois par mois de Bozen pour voir si tout était en ordre. Elle passait ainsi d'un sujet à l'autre, et débordait de complaisance. Elle s'offrit à déballer les bagages, ce que Marie accepta avec reconnaissance, et plus tard elle apporta le déjeuner dans la chambre. Du lait était déjà prêt pour le malade chez qui on pouvait constater de légers mouvements, signes avant-coureurs d'un réveil proche. Enfin Félix revint à lui, tourna plusieurs fois la tête de gauche à droite, puis fixa son regard sur Marie qui s'était penchée sur lui. Il sourit alors et lui pressa doucement la main. « Qu'est-ce qui m'est arrivé ? » demanda-t-il.

Le médecin, revenu dans l'après-midi, le trouva déjà beaucoup mieux et permit qu'on le déshabillât pour le mettre au lit. Félix se laissa faire avec résignation.

Marie ne quitta pas le lit du malade. Quel après-midi interminable ! Par la fenêtre, restée ouverte sur l'ordre formel du docteur, les doux parfums du jardin pénétraient, et quel calme ! Marie suivait machinalement des yeux l'éclat des rayons du soleil sur le parquet. Félix tenait presque toujours sa main. La sienne était froide et humide, ce qui causait à Marie une sensation désagréable. Parfois elle rompait le silence par quelques mots qu'elle devait se forcer à prononcer : « Ça va mieux, n'est-ce pas ! — Tu vois bien ! — Ne parle pas ! — Tu ne dois pas ! — Après-demain, tu iras déjà dans le jardin. » Il hochait la tête et souriait. Puis Marie calculait la date d'arrivée d'Alfred. Demain, dans la soirée, il pouvait être ici. Encore une nuit et un jour. Si seulement il était là !

L'après-midi se prolongeait, sans fin. Le soleil disparaissait. La chambre même commençait à être plongée dans l'ombre. Mais quand Marie regardait en direction du jardin, elle voyait encore des rayons jaune pâle glisser sur le gravier blanc des allées et là-bas sur les grilles. Soudain, comme elle portait de nouveau sa vue vers l'extérieur, elle entendit la voix du malade : « Marie ! » Elle tourna vite la tête vers lui. « Je me sens maintenant beaucoup mieux, dit-il à voix haute.

— Tu ne dois pas parler si fort. » Elle le sermonnait tendrement.

« Beaucoup mieux. Cette fois, ça s'est bien passé. Peut-être était-ce la phase critique.

— Certainement, affirma-t-elle.

— Je mets tous mes espoirs dans le bon air. Mais il ne faudrait pas que ça se produise une seconde fois, je serais perdu.

— Allons donc ! Tu vois bien que tu te sens déjà plus vaillant.

— Tu es gentille, Marie, je te remercie. Mais soigne-moi bien. Fais attention, fais très attention !

— As-tu besoin de me le dire ? » répondit-elle, un léger reproche dans la voix.

Il poursuivit, dans un murmure : « Car si je dois partir, je t'emmènerai. »

A ces mots, une angoisse mortelle l'envahit. Pourquoi donc ? Il ne pouvait représenter un danger, il était trop faible pour user de violence. Elle était aujourd'hui dix fois plus forte que lui. A quoi pouvait-il penser ? Que cherchait-il des yeux en l'air, sur le mur, dans le vide ? Il ne pouvait se redresser et ne possédait pas d'arme. Peut-être le poison ? Il pouvait s'en être procuré, le gardait peut-être sur lui pour le verser goutte à goutte dans son verre à elle. Mais où pourrait-il le cacher ? Elle-même l'avait aidé à se déshabiller. Peut-être une poudre dans son portefeuille ? Mais celui-ci était dans sa veste. Non, non, non ! Ce n'étaient que des paroles provoquées par la fièvre et la joie maligne de la torturer, rien de plus. Mais, si la fièvre peut inspirer de telle *paroles,* de telles *pensées,* pourquoi pas aussi l'*acte* ? Il lui suffira d'un instant pendant qu'elle dort pour l'étrangler. Cela ne demande pas beaucoup de force. Elle peut s'évanouir tout de suite, alors elle sera à sa merci. Oh ! Elle ne dormira pas cette nuit, et demain Alfred sera là !

La soirée avançait, la nuit vint. Félix n'avait plus dit un mot, le sourire aussi avait complètement disparu de ses lèvres. Le visage immuablement sombre, sévère, il regardait dans le vague. Quand l'obscurité se fit, la femme apporta des bougies allumées, et se disposa à préparer le lit près de celui du malade. D'un signe Marie lui donna à comprendre que ce n'était pas nécessaire. Félix l'avait remarqué. « Pourquoi pas ? » demanda-t-il, et il ajouta : « Tu es trop bonne, Marie, il faut te coucher, je me sens mieux. » Elle crut entendre du sarcasme dans ces paroles. Elle ne se coucha pas. Elle passa toute la nuit, une nuit interminable, auprès de son lit, sans fermer l'œil. Félix reposait presque toujours calmement. Parfois elle se demandait s'il ne faisait pas semblant de dormir pour engourdir sa méfiance. Elle regardait de plus près, mais la lumière vacillante de la bougie simulait sur les lèvres et les yeux du malade des frémissements rapides qui la troublaient. Elle alla une fois à la fenêtre et regarda dans le jardin. Il était baigné d'une faible lueur gris-bleu. En se penchant un peu et en levant la tête, elle pouvait apercevoir la lune qui semblait flotter au-dessus des arbres. Elle ne sentait aucun souffle d'air, et dans le silence et le repos infinis qui l'enveloppaient, elle eut l'illusion que les barreaux de la grille qu'elle pouvait distinguer nettement avançaient lentement, puis s'arrêtaient. Félix se réveilla après minuit, Marie arrangea ses oreillers et, obéissant à une inspiration subite, profita de cette occasion pour chercher s'il n'avait pas caché quelque chose. Elle croyait encore entendre : « Je t'emmènerai, je t'emmènerai. » Mais l'aurait-il dit s'il l'avait sérieusement pensé ? S'il avait la possibilité d'ourdir un plan, la première idée qui lui serait venue aurait été de ne pas se trahir. C'était vraiment très puéril de se laisser inquiéter par les fantasmes sans consistance d'un malade. Le sommeil la gagnait, elle écarta sa chaise loin du lit, à tout hasard. Pourtant elle *ne voulait pas* s'endormir ! Ses pensées commençaient cependant à perdre de leur netteté, et, échappant à la conscience claire du jour, elles s'envolaient dans la pénombre des rêves troubles. Des souvenirs surgissaient. Des nuits, des jours resplendissants de bonheur. Rappels d'heures où il la tenait dans ses bras tandis que le souffle d'un printemps nouveau traversait leur chambre. Elle avait la vague sensation qu'ici le parfum du jardin n'osait pénétrer. Elle dut retourner à la fenêtre pour s'en abreuver. Les cheveux humides du malade semblaient exhaler une odeur fade, douceâtre, qui imprégnait l'atmosphère de la pièce de façon écœurante. Qu'attendre ? Si seulement c'était fini, oui, fini ! Elle ne reculait plus devant cette pensée, le mot perfide lui vint à l'esprit qui transforme le plus effroyable des vœux en pitié hypocrite : « S'il était délivré ! » Et quoi alors ? Elle se vit dehors dans le jardin assise sur un banc sous un grand arbre, pâle, en pleurs. Mais ces signes de deuil n'étaient que sur son visage. Un calme si délicieux qu'elle n'avait pas connu depuis longtemps, très longtemps, était descendu sur son âme. Puis elle vit sa silhouette se lever, gagner la rue, s'éloigner lentement. Car maintenant elle pouvait aller où elle voulait.

Elle gardait cependant au cours de cette rêverie un esprit assez éveillé pour guetter la respiration du malade qui se changeait parfois en râle. Enfin, le matin approchait. Dès les premières lueurs, la femme apparut à la porte et s'offrit aimablement à relever Marie de sa garde pour les heures suivantes.

Celle-ci accepta avec une joie non dissimulée. Après un dernier coup d'œil rapide sur Félix, elle quitta la chambre, pénétra dans la pièce voisine où un divan avait été aménagé en lit de repos confortable. Ah ! comme elle s'y sentait bien ! Tout habillée, elle se jeta sur cette couche et ferma les yeux.

Elle ne se réveilla qu'au bout de plusieurs heures. Une douce pénombre l'entourait. Par les fentes des volets fermés, les rayons du soleil dessinaient de minces traînées. Elle se leva rapidement, eut aussitôt une vision précise de la situation. Alfred devait arriver aujourd'hui. Cela lui permettait de faire face plus courageusement à l'atmosphère pénible des prochaines heures. Sans hésiter, elle passa dans la pièce voisine. En ouvrant la porte, elle fut aveuglée une seconde par la couverture blanche étendue sur le lit du malade. Puis elle aperçut la logeuse qui porta le doigt à sa bouche, se releva de son siège et alla sur la pointe des pieds à sa rencontre. « Il dort profondément », murmura-t-elle, et elle lui raconta que, exception faite de l'heure précédente, il était resté éveillé avec une forte fièvre, et avait réclamé Madame à plusieurs reprises. Le docteur était déjà passé de bonne heure, et avait jugé l'état du malade inchangé. Elle avait alors voulu réveiller Madame, mais le docteur ne le lui avait pas permis ; du reste, il devait revenir dans l'après-midi.

Marie écouta attentivement la brave femme, la remercia de ses services, et prit sa place.

C'était une journée chaude, presque lourde. Midi approchait. Le jardin s'étendait immobile sous l'éclat écrasant du soleil. Quand Marie tourna son regard vers le lit, elle vit tout d'abord les deux mains frêles du malade qui, tressaillant parfois, reposaient sur la couverture. Le menton s'était affaissé, le visage était d'une pâleur cadavérique avec des lèvres légèrement entrouvertes. Pendant quelques secondes la respiration s'arrêtait, puis reprenait péniblement, par saccades. « Si ça se trouve, il mourra avant l'arrivée d'Alfred », pensa brusquement Marie. Dans son attitude présente, le visage de Félix exprimait de nouveau la souffrance d'un être jeune, un visage marqué par une lassitude, fruit de douleurs sans nom, et une résignation gagnée dans des combats désespérés. Marie se rendait soudain compte de la cause qui, dans les derniers temps, en avait si cruellement altéré les traits, et qui, en ce moment, était absente. C'était l'amertume qui se peignait sur eux chaque fois qu'il *la* contemplait. Maintenant qu'aucune haine ne hantait ses rêves, il retrouvait sa beauté. Elle souhaitait qu'il se réveillât. A le voir ainsi, elle se sentait remplie d'une douleur indicible, d'une crainte pour son sort qui la consumait. C'était de nouveau son bien-aimé qu'elle voyait mourir. Elle réalisa tout d'un coup ce que cela signifiait. Toute la détresse de ce destin inéluctable, effroyable, la submergea, et une fois encore elle comprit tout, absolument tout. Qu'il avait été son bonheur et sa vie, qu'elle avait voulu le suivre dans la mort, et que l'instant était terriblement proche où tout cela serait révolu à jamais. La carapace de glace qui avait couvert son cœur, l'insensibilité perçue des jours et des nuits durant fondaient, devenaient confusément incompréhensibles. Maintenant, oui maintenant,

115

tout est encore bien. Il vit toujours, il respire, il rêve peut-être ; mais bientôt il sera étendu rigide, mort, et il reposera profondément en terre dans le calme d'un cimetière sur lequel les jours passeront uniformes tandis qu'il pourrira... Et elle, elle vivra, vivra parmi les hommes tout en sachant qu'il y a là-bas une tombe muette où il gît, lui qu'elle a aimé ! Ses larmes coulèrent irrésistibles pour finir en bruyants sanglots. A ce moment il s'agita, et comme elle passait rapidement son mouchoir sur ses joues, il ouvrit les yeux, la fixa longuement d'un regard interrogateur, mais ne dit rien. Puis, après quelques minutes, il murmura : « Viens ! » Elle se leva, se pencha sur lui, il leva le bras comme pour enlacer son cou, mais il le laissa retomber et demanda : « Tu as pleuré ?

— Non », répondit-elle brusquement en relevant les cheveux de son front. Il la regarda longuement, gravement, puis il se détourna. On eût dit qu'il méditait.

Marie s'interrogeait. Devait-elle parler au malade du télégramme à Alfred ? Devait-elle le préparer à sa venue ? Le mieux serait de se montrer, la première, surprise de l'arrivée de leur ami. Les nerfs tendus, elle passa le reste de la journée dans l'attente. Les événements extérieurs défilaient comme dans un brouillard. La visite du médecin fut promptement expédiée. Il trouva le malade dans un état d'apathie complet, n'émergeant que rarement d'un demi-sommeil entrecoupé de gémissements, pour formuler des questions ou des souhaits insignifiants. Il demandait l'heure, de l'eau. La logeuse entrait et sortait. Marie ne bougea pas de la journée, assise la plupart du temps dans un fauteuil près de Félix. Parfois elle restait debout au pied du lit, accoudée au montant, parfois elle allait à la fenêtre, regardait dans le jardin où l'ombre des arbres s'allongeait peu à peu, jusqu'à ce que le crépuscule tombât sur la pelouse et les allées. La soirée était étouffante, et la lumière de la chandelle posée sur la table de nuit, près de la tête du malade, remuait à peine. Ce n'est que lorsque la nuit fut complète, et que la lune apparut au-dessus des montagnes gris bleu, qu'un léger souffle se leva. Marie se sentit soulagée quand il passa sur son front. L'air sembla aussi faire du bien au malade. Il tourna la tête, dirigea ses yeux grands ouverts vers la fenêtre, poussa un profond soupir.

Marie saisit sa main qu'il laissait pendre sur le bord de la couverture. « Veux-tu quelque chose ? » demanda-t-elle.

Il retira lentement sa main et dit : « Viens, Marie ! »

Elle s'approcha plus près, sa tête frôlant presque l'oreiller. Alors, comme s'il la bénissait, il posa sa main sur ses cheveux, et l'y laissa. Il dit ensuite doucement : « Je te remercie pour tout ton amour. » La tête de Marie reposait maintenant sur l'oreiller à côté de la sienne, elle sentit de nouveau les larmes lui monter aux yeux. Dans la chambre, le silence était total. On entendit se perdre au loin le sifflet d'un train. Et de nouveau le calme d'une lourde soirée d'été, un calme pesant, séduisant, surprenant. Tout d'un coup, Félix se redressa dans son lit d'un mouvement si rapide, si violent que Marie sursauta d'effroi. Elle redressa la tête, fixa son regard sur le malade. Celui-ci saisit alors des deux mains la tête de Marie comme il l'avait fait souvent dans un geste de folle tendresse. « Marie, s'écria-t-il, il est temps que tu te souviennes.

— De quoi ? » demanda-t-elle, et elle voulut dégager sa tête. Mais il semblait avoir retrouvé toute sa force, et il ne la lâcha pas. « Je veux te rappeler ta promesse, dit-il d'une voix haletante, de vouloir mourir avec moi. » Il lui avait parlé de tout près. Elle sentait son souffle passer sur sa bouche, et ne pouvait reculer. Il parlait tout contre ses lèvres, comme s'il voulait lui faire boire ses paroles. « Je t'emmène, je ne veux pas partir seul. Je t'aime, et je ne te laisserai pas ici. »

Elle était paralysée par la peur. Un cri rauque, si étouffé qu'elle put elle-même à peine l'entendre, sortit de sa gorge. Sa tête restait bloquée entre les mains de Félix qui la comprimaient rageusement aux tempes et aux joues. Il continuait à parler, et son souffle chaud, humide lui brûlait le visage. « Tous les deux, tous les deux ! N'était-ce pas ta volonté ? Moi aussi, j'ai peur de mourir seul. Veux-tu, veux-tu ? »

Elle avait des pieds repoussé le fauteuil, et finalement, comme si elle se dégageait d'un cercle de fer, elle arracha sa tête à l'emprise des mains. Il continuait à les tenir en l'air comme si elles agrippaient toujours sa tête, et son regard figé semblait ne pas comprendre ce qui venait de se passer.

« Non, non ! cria-t-elle, je ne veux pas ! » et elle se précipita à la porte. Il se redressa, on eût dit qu'il allait sauter du lit, mais ses forces l'abandonnèrent, et, avec un bruit sourd, il retomba comme une masse sur sa couche. Elle ne le voyait plus, elle avait ouvert violemment la porte et courait à travers la pièce voisine jusqu'à l'entrée. Elle ne se possédait plus. Il avait voulu l'étrangler ! Elle sentait encore ses mains glisser sur ses tempes, sur ses joues, sur son cou. Elle atteignit le portail d'entrée : personne. Elle se rappela que la logeuse s'était absentée pour pourvoir au repas du soir. Que devait-elle faire ? Elle revint précipitamment sur ses pas, et, traversant l'entrée, elle bondit dans le jardin, courut à travers pelouse et sentiers jusqu'à l'autre extrémité. Là, elle se retourna et put voir la fenêtre de la chambre d'où elle était sortie. Elle aperçut la lueur tremblotante de la chandelle, mais rien d'autre. Que s'est-il passé ? Que s'est-il passé ? Elle ne savait pas ce qu'elle devait faire. Indécise, elle arpenta les allées le long de la grille. Soudain, elle pensa : « Alfred ! Il doit arriver maintenant, il faut qu'il arrive ! » Elle observa à traverser les barreaux le chemin, éclairé par la lune, qui conduisait à la gare. Elle se précipita à la porte du jardin, l'ouvrit. Le chemin s'étendait devant elle, blanc, désert. « Peut-être viendra-t-il par l'autre route ? » Non, non. Voilà là-bas une ombre qui avance, qui se rapproche de plus en plus, et de plus en plus vite. Elle distingue la silhouette d'un homme. Est-ce lui ? A quelques pas de distance, elle court à sa rencontre. « Alfred ! — Est-ce vous, Marie ? » Elle aurait aimé pleurer de joie. Quand il se tint devant elle, elle voulut lui embrasser la main. « Qu'y a-t-il ? » demanda Alfred. Elle l'entraîna sans répondre.

Félix n'était resté qu'un moment immobile. Il se redressa, regarda autour de lui. Elle était partie, il était seul. Une angoisse oppressante le saisit. Une seule chose était claire, il devait l'avoir là, près de lui. D'un bond il sauta du lit, mais il ne put tenir debout et retomba en arrière sur sa couche. Il sentait dans sa tête un bourdonnement, un grondement. Il s'appuya sur une chaise et avança en la poussant devant lui. « Marie, Marie, murmura-t-il, je ne veux pas mourir tout seul. Je ne peux pas. » Où était-elle ? Où pouvait-elle bien être ? Progressant toujours à l'aide de la chaise, il avait atteint la fenêtre. Le jardin s'étendait là, sous l'éclat bleuâtre de la nuit étouffante. Nuit chatoyante, nuit bruissante ! Comme les plantes et les arbres dansaient ! Oh, c'était le printemps qui devait lui rendre la santé. Quel air pur ! Quel air pur ! Pouvoir le respirer toujours, et sa guérison était assurée. Mais là-bas, qu'y avait-il là-bas ? Il voyait venir de la grille qui lui paraissait plongée dans un abîme une silhouette féminine auréolée par l'éclat bleuâtre de la lune. Comme elle planait, et ne se rapprochait pas ! « Marie, Marie ! » Et un homme derrière elle, un homme avec Marie, fantastiquement grand. Alors les grilles commencèrent à danser, à les suivre en dansant, et le ciel derrière eux, et tout, tout dansait à leur suite. Du lointain montaient des sons, des accords, des chants, si beaux, si beaux. Et tout devint noir...

Marie et Alfred arrivaient, tous deux couraient. Parvenue à la fenêtre, Marie s'arrêta et jeta dans la pièce un coup d'œil inquiet. « Il n'est pas là », cria-t-elle. Soudain, elle poussa un cri déchirant et s'affaissa dans les bras d'Alfred. Celui-ci l'écarta doucement et, se penchant sur la barre d'appui, vit tout contre la fenêtre, dans sa chemise blanche, son ami étendu de tout son long sur le sol, les jambes écartées, avec, à côté de lui, une chaise renversée dont il tenait encore le dossier. Un filet de sang coulait de sa bouche sur son menton. Les lèvres semblaient tressaillir, les paupières aussi. Mais quand Alfred observa plus attentivement, il constata que c'était seulement l'éclat trompeur de la lune qui jouait sur le visage blême.

ACHEVÉ D'IMPRIMER
LE 12 NOVEMBRE 1986
SUR LES PRESSES DE
L'IMPRIMERIE HÉRISSEY
POUR LE COMPTE DES ÉDITIONS STOCK
103, BOULEVARD SAINT-MICHEL, PARIS-5e

Imprimé en France

Nᵒ d'éditeur : 3181
Nᵒ d'imprimeur : 41349
Dépôt légal : Novembre 1986
54-12-3554-02
ISBN 2-234-01914-1